血字的研究

大眞相

作者：柯南·道爾（Arthur Conan Doyle , 1859～1930）

處處留心皆學問——

福爾摩斯的冷靜智慧

顏世錫

福爾摩斯探案是許多人年輕時代裡鮮明的記憶，也是我早年喜愛閱讀的故事，世界書局在七十年前第一次把它引入中國白話文的世界，如今又重新編修出版。閻初總經理託我爲這套書作序，她是我多年好友，也是我從江兆申老師習字時的小師妹，因此便慨然應允。

故事書中懸疑緊湊的情節，現在讀來仍舊津津有味；但我從事警政工作幾十年來，早已在犯罪的刀光血影中走過千百回，也經歷了各式大小案件，如今重讀此書，感覺最值得玩味的，是福爾摩斯的冷靜、智慧和勇氣。他敏銳的觀察力和縝密的推理分析實是破案的重要關鍵。當然，隨著時代的進步，各種鑑識科技應運而生，爲偵辦工作提供了更多更好的輔助，但這位神探的博學多聞、細心耐心、追求眞理、堅持原則的特質，應該是這套書背後所傳達的重要意涵。這不僅是犯罪偵查人員必須具備的要件，引申到現代生活中，也是一般大眾應該加強的思維。

近年來，治安問題始終是大家關切的焦點，犯罪手法的翻新和犯罪年齡的下降給社會帶來了空前的挑戰。今日，打擊犯罪要靠警民合作，不要妄想仰賴一、二位超人神探，而是要靠許多福爾摩斯的配合——人人都應留意自己周遭的人事物，遇有狀況，冷靜分析，並熱心負起改善治安的責任。青少年朋友更要不盲從、不衝動、多用眼、用腦、用手去開啓自己正確的路。其實，福爾摩斯風靡世界一百年，始終在各個時代裡蟬聯青少年心中的英雄，他永遠光鮮的外表、永遠零亂的書桌、他獨特的衣帽煙斗、千變萬化的喬裝掩飾、冷靜聰明的頭腦、鍥而不捨的作風、濟弱扶傾但尊重法理的俠義精神，不也正符合我們這個時代年輕朋友最「酷」的選擇嗎？與其盲目崇拜偶像，不如冷靜分析什麼是自己該堅持的主張，才不致迷失徬徨。

我想，福爾摩斯雖然是在柯南·道爾筆下塑造的人物，但能跨越時空、歷久彌新，是因爲他以最有趣引人的手法，在許多人的生活中引起共鳴：我們都有探索黑暗與未知的好奇，也都有找出眞相、伸張正義的嚮往；我們都希望具備超人智慧，能先知先覺地解決難題，也都希望在零亂紛擾的疑團中抽絲剝繭地理出邏輯。就在事實與想像裡、在假設與證據間、在科學理論與小說創作下，你我心中都有福爾摩斯的影子！喜見世界書局再一次把他帶進讀者的世界，也希望讀者把他的冷靜、智慧與勇氣帶進自己周遭的世界。

一九九七年十二月二十五日

出版緣起　當福爾摩斯重現世界

閻初

一八四一年，美國，愛倫・坡發表《莫爾格街謀殺案》，偵探小說這個名詞第一次出現。當時，在東方，列強的炮火早已轟開了中國的大門，他們正用鴉片對這個民族進行集體謀殺。林則徐等人企圖緝兇歸案，但終告失敗。

一八八七年，英國，一位身材削瘦、披著斗蓬、叨著煙斗的神探誕生了。當時，正值光緒十三年，慈禧歸政德宗，其實東方也很需要一位智多星，能幫著皇帝懲惡捉奸、撥亂反治。

接著，甲午戰爭、戊戌變法後，晚清的翻譯小說便紛紛出現，一九〇二年，最早的一篇文言福爾摩斯刊登在梁啓超編的《新民叢報》和《新小說》上。

民國十六年，上海，世界書局出版《福爾摩斯探案大全集》，由「中國偵探泰斗」程小青和嚴獨鶴、包天笑等人以白話文翻譯。從此，這位西方的神探便正式進駐龍蛇混雜的十里洋場，而他的傳奇經歷，也快速地傳遍中國各地，成爲家喻戶曉的人物。

譯者程小青先生自幼喪父，原本在鐘錶店裡當學徒，工作之餘便到夜校補習英文。他寫作時認眞嚴謹，講究專業精神，除了大量閱讀西方偵探小說外，還特別透過函授，修習美國警官學校的犯罪心理學和偵探應用技術等課程。據聞，每當他開始構思小說情節時，常常跑到杳無人煙之處，苦思冥想，直到倦鳥歸巢，他才返家命筆。透過他的譯筆，福爾摩斯成爲風靡大衆的一個有情、有理、有趣的偶像。

東方古老沈重的社會裡，永遠流傳著包青天、施不全的奇聞軼事，他們是神仙下凡，是老天爺賞給小老百姓的難得恩賜；但洋人筆下的福爾摩斯，卻是科學的、智慧的凡人，他靠冷靜謀略使眞相大白、讓沈冤昭雪、叫惡人伏法，舉凡聰明博學者皆可爲之。福爾摩斯的受歡迎、被認同實也反映了當時社會的背景：問天聽天的封建已被打破，科學民主正是主流，西潮洶湧、人心激盪，而苦難仍是一個接著一個地降臨在小老百姓身上，於是，人們期盼一個合邏輯的救難英雄——福爾摩斯正適合；人們也渴望脫離無解的現實，進入另一個善惡分明、凡事找得到答案的文明世界——偵探小說正是這樣一個非神化的理性空間。

當時的社會背景也符合現在的情境，只是，物慾更橫流、道德更淪喪、犯罪更猖狂！

一九九七年，福爾摩斯重現世界，距離他第一次在我們的白話文世界裡出現恰巧七十年，古人說：「七十而從心所欲，不逾矩。」所以，我們在忠於原著並尊重譯者的原則下，將百餘萬字重新順讀潤飾，並修改程小青先生的上海方言、文白夾雜和人名地名的翻譯，以便更符合現代閱讀習慣。我們相信新的口語、新的包裝，將帶給福爾摩斯新生的體魄，再加上他歷久彌新、雋永沈潛的智慧與勇氣，必更能遊刃有餘地展開工作。然而，現代犯罪花樣的翻新、犯罪組織的龐大，豈可靠一個神探解決，所以，世界書局徵召各方好漢，一起來做他智勇雙全的好幫手。

偵探小說向來不被新文學正視，它只是個生活消遣品，但它確實能反應出某些社會意義。百餘年來，我們中國人從那個問天祭天謝天的封建中走過來，掙著敲打出這個民有民治民享的雛局，但目前的自由和法治眼看正在消失，於是在亂相威逼下，人們方才醒悟到在民主社會中，天子可以推翻，但天道不可悖離，個人的小惡、衆人的姑息，必將鑄成大錯，不可收拾。今日我們撥亂反治，也不能只翹首青天，還是要從每個小人物的細心、關心和警覺心做起。這套「化了妝的社會科學教科書」，或許能啓發我們一些敏銳觀察、分析判斷和沈穩處事的能力。畢竟，花繁柳密處撥得開，方見手段；風狂雨驟時立得定，才是腳跟。我們愛這花花世界，總要在變通與原則之間，找出自己安身立命的方法。

福爾摩斯
長篇探案

血字的研究(*A Study in Scarlet*)

目錄

處處留心皆學問——顏世錫 一
出版緣起 三

上卷

第一章 歇洛克・福爾摩斯 一
第二章 推斷學 一〇
第三章 空屋中的兇案 二一
第四章 警察的談話 三三
第五章 廣告的效果 四一
第六章 葛萊生的活動 四九
第七章 黑暗中之光 五九

下卷

第一章　沙漠中的旅客　六九
第二章　猶他之花　八〇
第三章　約翰・費里亞和先知的談話　八八
第四章　逃命　九四
第五章　復仇天使　一〇四
第六章　供詞　一一四
第七章　結束　一二七
附錄一　真實與虛幻之間——柯南・道爾與福爾摩斯　一三三
附錄二　柯南・道爾年譜　一四〇
參考書目　一四三

血字的研究（原名 A Study in Scarlet）

上卷

第一章　歇洛克・福爾摩斯

一八七八年，我在倫敦大學獲得醫學博士的學位，隨即前往瑞特黎，繼續研修軍醫的必修科目。畢業以後，便進了諾森柏蘭第五快槍聯隊，當軍醫的助手。這個聯隊當時駐紮在印度，在我尚未趕到駐地以前，第二次阿富汗戰爭又爆發了。當我到孟買的時候，我隸屬的隊伍又早已穿過了山徑，深入敵人的境地。幸而那時還有幾個和我一樣遲到的軍官，所以我們就一塊兒追上前去，終於安然到達坎達賀。而我也在那裡找到了我的隊伍，於是就立刻接任我的新職務。

這一次戰役之後，同伍的戰友們幾乎都得到了勳賞和升遷，我卻除了厄運災患以外，毫無所得。我被轉調到勃格休隊之後，隨即參與了激烈的墨旺德戰爭。就在那一次戰役中我肩膀中了一粒捷徹爾式的爆彈，把我的肩骨打碎，差一點就擦破我鎖骨下的血管。那時若沒有我忠勇的隨從兵毛雷把我抓起來載在馬背上，我就要落在那兇殘的戈吉人手裡，永遠不能回到英國了。

我長時間受那創傷之苦，身體疲憊不堪，於是就隨著受傷的夥伴們，一同到舒爾地方的後方醫院。在醫院中休養了一陣子，身體才略有起色。當我才剛能夠在病房中往來緩步，且能在陽臺上曬曬太陽的時候，忽又得了傷寒，這是印度屬地裡的一種傳染病。此後幾個月，我都在昏迷狀態中，幾乎喪命，後來幸好漸漸痊癒，但我的身體卻更虛弱了。醫務部裡的人見我如此，便決定將我送回英國。我乘坐亞侖特軍船回來，隔了一個月，便在樸資茅斯的碼頭登岸。那時候我的身體極差，好在政府給我九個月的長假，讓我調養身體。

我在英國沒有親友，所以我像空氣般的自由——這自由的限度，就像一個每天有十一先令六便士進款的人所能享受的一般。在這種情形之下，我就到了倫敦，這地方眞像一條汚水溝，那些怠惰或沒有職業的人，都浸泡在這裡面。我起先在海濱的一間私人旅館中耽擱了幾天，過了一陣不安適而乏味的生活，並且花去了我能力所能支付的費用。我因爲經濟開始拮据，不禁有點恐慌，想想我似乎必須改換我的生活方式，轉往鄉間居住，方才足以支持。我定了這個計劃，便打算幾天後就離開旅館，另租一間小屋子，以便節省我日常的花費。

在我決定的那天，我站在克列特林酒店的門前，忽然有人在我肩上拍了一下。我回頭一瞧，竟是我過去認識的小史丹福，他是我在白德醫院任職時的助手。在人海茫茫的倫敦竟能遇到熟人，我心裡眞有一種說不出的愉快。以前史丹福並不算和我挺相契，但此刻我仍很熱誠地和他招呼，他也笑臉相對，顯得非常高興見到我。我因此邀他去龐德餐廳吃飯，隨即雇了馬車前往。

我們的馬車繞過熱鬧的倫敦街道時，史丹福詫異地問我道：「華生，你近來到底在幹些什麼事呀？怎麼瘦得像排骨，臉色也像堅果一般的焦黃？」

我就約略把我經歷的事情說給他聽，但話還沒有說完，我們的馬車已到了目的地。

我們進了餐廳之後，史丹福繼續聽完我全部的冒險歷史，十分憐憫地道：「可憐的人！你現在打算幹什麼事呢？」

我答道：「我正要找一個以低廉的租金就可以租賃的安適住屋。但不知這問題是否有解決的可能。」

我那同伴道：「這奇怪了，今天你是第二個對我說這樣的話的人。」

我問道：「那麼，第一個人是誰？」「他是在醫院的化驗室中服務。今天早上，他正一個人嘀咕著，說他已找到了一間很棒的屋子，卻找不到和他分租的人，他一個人住又嫌貴。」

我歡呼道：「好啊！假使他眞的需要一個分租的人，我就是他的最佳人選，因爲我也覺得合住比獨居好。」

史丹福透過酒杯向我瞧著，似很詫異，道：「你還不認識歇洛克・福爾摩斯，否則，你也許不願意和他做一個常處的同伴。」「爲什麼？難道這個人有什麼不良的品性？」「哦，我沒說他有不良的品性。不過他的思想讓人略覺怪異——他孜孜研求一種科學。據我觀察，他倒是一個挺正派的人。」

我道：「他是一個醫學系的學生嗎？」

「不，我不知道他研究些什麼。我只知道他精於解剖學，也是個一流的化學家，但他卻從不曾有系統地研習過醫學學科。他的研究非常奇特，並且常中輟無定，可是他種種異乎常軌的知識，卻又往往讓他的教授們驚訝。」

我道：「你有沒有問過他究竟要幹什麼呢？」

史丹福道：「沒有，他是一個不容易被探口風的人，但他在高興的時候，也一樣能和人家盡情談笑。」

我道：「我很願意見見他，我如果要找人同住，也很想找一個這樣好學而靜默的人。因我的身體還並不強壯，受不起喧鬧和驚擾，我在阿富汗所受的驚鬧，已足以讓我終身不忘。我現在就和你去見你的朋友嗎？」

「他一定在化驗室。他有時幾個星期不去化驗室，有時卻一整天在裡面工作不出來。你如果要去見他，午餐完畢我們可同車而去。」

我應道：「好。」接著，我們的談話便轉移別處去了。

我們離開龐德餐廳往醫院的一路上，史丹福又把這個即將和我同住的人的詳細情形說給我聽。

他道：「你將來如果和他不相投機，也不能怪我。因爲我除了偶爾會在化驗室遇見他以外，並不知道他的底細。同住的事既是你自己提議的，我是不負責任的。」

我答道：「我們如果合不來，也可再分居。」說時，我瞧了一瞧史丹福，繼續道：「史丹福，我瞧你對於這事似乎不熱衷，有意撇清，這人的脾氣很可怕嗎？還是有其他的原因呢？你不要隱瞞。」

他笑道：「這確實是不太容易說明的一點。我覺得福爾摩斯這個人太科學化——似乎已到了冷血的程度。我記得他曾經拿一撮最新發現的植物鹼給他的朋友嘗試，他不是要謀害，而是出於一種研究的精神，想知道服了這植物鹼後，究竟有什麼結果。平心而論，這種事他也不是專只叫朋友吃虧，我相信他也會在他自己身上實驗。我只能說他似乎對於研求眞確的學識抱著一種特殊的熱誠。」我答道：「這種精神很不錯啊！」

「是啊，但太過了也不好。他還曾在解剖室，用棒打擊屍體。你說他是不是怪人？」「他用棒打屍體？」

「是，這是我親眼瞧見的。他的目的只是要證明，人在死後受傷，究竟有怎樣的痕跡。」

「他既有這樣的舉動，你怎麼還說他不是醫學系的學生呢？」

史丹福大聲道：「他眞的不是！他研究的目的是什麼只有天知道了。我們到了，他的人究竟怎樣，待會兒你自己瞧吧。」

說到這裡，我們已下車轉入一條狹巷，又從一扇側門進去，直達醫院旁邊的一棟屋子。那地方我很熟悉，所以不用他當嚮導，我便從那魚鱗石的階級走上去。到了上面，通過一條很長的甬道，甬道兩旁牆壁刷得雪白，木門全是褐色的。在這甬道盡處，接了另一扇門，直通化驗室的門口。

化驗室非常寬敞，四壁擺滿了藥瓶。又低又寬的桌子上，縱橫雜列擺滿了蒸餾器、玻璃管，和點著綠色小火的本生燈。這時室中只有一個人，坐在一張較遠的桌子旁邊，正在那裡孜孜研究。他一聽到我們的腳步聲，便轉過頭來，並發出一種歡呼聲。

他一手執著玻璃管，直奔過來，向我的同

伴呼道：「我成功了！我成功了！我又得到了一種試劑。完全是從『血紅素』中沈澱而成的，別的物質完全不行。」即使他發現了一個金礦，我相信也未必會比此刻更快樂。

史丹福為我們介紹道：「這是華生醫生，這是歇洛克．福爾摩斯。」

他很熱情地說：「你好！」說時，忽然伸手和我相握，我沒想到他竟如此有力。他接著道：「你到過阿富汗。」我驚訝道：「你怎麼知道的？」

他含笑說：「你不用問。此刻先談『血紅素』的問題。我想你應該會明白我這新發現的重要性吧！」

我答道：「從化學學理上講，當眞是很有趣，但實用方面……」

「什麼話？朋友，這是近代醫學上最重要的發明之一。難道你還看不出來這東西可以辨別血跡的眞僞，百無一失嗎？現在請你到這裡來！」說著，他一把拉住我的袖口，領我到他原先工作的那張桌子前面，很懇切地說道：「我們弄些鮮血來試試。」說時，取了一枝小針，刺破他自己的手指，擠了一滴血，滴在小玻璃管裡面。又道：「現在把這一滴血溶和在一公升的水中，看起來便完全像是淸水，再也瞧不見血了，這是因為血太少，混合之後只佔了百萬分之一的比例。雖然如此，我自信能夠使這滴血復原。」

他邊說邊取出幾粒白色的結晶物，投入水瓶之中，又加入數滴透明的液體。過了一會兒，那水立即化做暗紅色，另有一些紫棕色的顆粒，沈澱在玻璃瓶底。

他歡呼道：「哈哈！」他拍手大樂，就像是一個孩子得到了新玩具一般。又問我道：「你有什麼看法？」

我答道：「這眞是一種十分精密的測試劑。」

他道：「太棒了！太棒了！那古老的樹脂測驗法既笨拙，也不準確。用顯微鏡檢驗的方法，也同樣有不準確的弊病。因爲只要血跡經過了數小時之後，這些檢驗的方法，便完全不適用了。我這一個新發明，卻是不論血跡的新舊，都可適用。假使這方法早幾年發明。那麼，那數千百個至今逍遙法外的罪人，早都已經伏法受誅了。」我低語道：「是啊。」

福爾摩斯又道：「有好多罪案的關鍵都在『血』的問題上。例如：一個人在犯罪數個月後，才開始被人懷疑，他的衣服或手帕被警探們取出來檢察，查到了幾個棕黃色的斑跡。這斑跡究竟是血跡，泥跡，鐵鏽的痕跡，還是果汁，或是其他的東西呢？這個問題長期困惑了不少辦案的人，就因爲沒有可靠的測驗方法啊！現在我們有了歇洛克·福爾摩斯的測試劑，以後自然不會再有這樣的困難了。」

他說時眼睛閃閃發光，同時將手按在胸口，鞠了一個躬，彷彿現場有無數的人正在欣賞讚美他，故而作勢道謝。

我見他如此興奮，十分詫異，於是向他道：「你的確該得到稱賀的。」

他又道：「去年法蘭克福發生的馮·斯休夫那個案件，假使這測試劑早一點成功，那他鐵定要上絞臺了；還有布萊德福的梅森；惡名昭彰的茂勒和羅弗爾；及新奧爾良的撒姆生等——像這種案子，我能夠列舉二十多件——論理，都該用這個方法來證明的。」

這時史丹福不禁笑道：「你眞像活動的罪案日曆。你也許可把這些資料集結成書，取名做『警務新聞舊錄』。」

福爾摩斯隨手取了一小塊膠布，貼在他剛才刺過的手指尖上，答道：「如果能夠，這讀物一定是十分有趣的。」他回頭來向我微笑，繼續道：「我不能不謹愼些，因我時常和毒藥接觸。」

他邊說邊伸出手來，我見他的手幾乎已被那同樣的藥布貼滿，且因受到了化學劑的浸蝕，皮膚也變了顏色。

史丹福在一張三腳凳上坐下，又伸腳拉了另一張給我。說道：「我們有事情來的。我這位朋友要找一個住的地方，我聽你在抱怨缺一個人和你分租，故而特地領他到這裡來見你。」

歇洛克・福爾摩斯聽說我要和他分租，似很快樂。

他道：「我在貝克街上找到了一間屋子，很適合我們倆居住。但你怕不怕濃烈的煙臭味呢？」我答道：「我自己也常吸『船』牌的煙。」

「那就好，我還有許多化學器具，有時還要實地試驗，這也不令你討厭嗎？」「我不會討厭。」

「讓我再想想，我還有什麼缺點？有時我會像啞巴，往往好幾天不開口，我如果這樣，你可不要以爲我在生氣，你只要順其自然，不久就會習慣了。現在你有什麼缺點要承認呢？兩個人在同住以前，一定要先知道彼此的缺點，那才可長久相處。」

我聽了他這一番話，不禁笑道：「我養了一隻狗，並且因爲神經受過刺激，所以最怕喧鬧；我起身無定時，很懶惰。身體好了後，也許還有其他的短處，眼前卻只有這幾種了。」

他很急切地問道：「拉提琴的聲音，也列在喧鬧範圍中嗎？」

我笑道：「這就要看拉琴的人本領高下而定了。提琴拉得好，可算是仙樂；拉得不好就……」

他忽笑著阻止道：「好了，如果那屋子你也覺得合意，這件事就這樣決定了。」

我道：「那麼，我們什麼時候去看看那屋子？」他答道：「明天中午十二點整，你再到這裡來，我們可一塊兒去。」

我和他握手，應道：「好，明天準時見。」

我們告辭出來，他仍繼續做他的化學實驗。我和史丹福二人一同回我寄寓的旅館。

步行的時候，我回頭問史丹福：「你認爲他怎麼知道我是從阿富汗回來的？」

我的同伴露出一種神祕的微笑，道：「這就是他特別的一點，有好多人都想知道，他究竟用什麼方法知道人家的隱事。」

我邊搓手邊說道：「啊，這眞是神祕。我很感激你幫我們二人撮合。你應記得那句俗話：『研究人類最恰當的方式，還是直接從活生生的人著手』你認爲呢？」

史丹福答道：「那麼你就應當研究這一個人了，但你必定會覺得他是個難以研究的人。並且我料想他對你的觀察，一定比你對他的觀察高明得多。我們再見吧！」

我答道：「再見。」接著，便緩步踱向旅館，心中仍惦念著那位新交識的朋友，覺得非常有趣。

第二章　推斷學

第二天我們會面後，就一同往貝克街二二一號去看屋子。那屋子有兩間舒適的臥房，一間寬大且空氣流通的起居室，兩邊各有一扇大窗子，陳設也非常簡單乾淨。這屋子既如此舒適，租金也已平分爲二，十分便宜，因此，我們就決定立即遷入。那天傍晚，我就將旅館裡的東西搬進新屋，次日早晨，福爾摩斯也將箱子皮包等物搬了進來。之後的一兩天，我們都忙著佈置，一切安排妥善之後，我們才漸漸地開始安享這新居的生活。

福爾摩斯其實並不是難相處的人。他很沈默，起居習慣也都是有定則的。晚上從不曾見他過了十點還沒睡；每日在我起床以前，他常已吃過早飯出去了。有時他一整天消磨在化驗室中；有時在解剖室；更有些時候出外作長距離的散步，甚至走到倫敦郊區的貧民窟。當他沈浸於工作的時候，任何人都比不上他的勤奮；可是這勤奮的動力一旦消失，卻又懶得厲害，往往接連幾天躺在起居室的沙發上，從早到晚不發一言，或動一動舒展筋骨。在這段時間，我常瞧見他眼神空洞，露出一種似夢非夢的神情，假使他平日的生活不是嚴整潔淨，我一定會懷疑他已服下迷幻藥了。

過了幾個星期，我研究他生活的好奇心越發深切。他的樣子也很容易惹人注意。他身高在六呎以上，因爲過分瘦削，顯得頎長無比。他的眼睛銳利有光，但在他長日偃臥的時候，卻又另當別論。他那細長如鷹喙般的鼻子，顯示他機警果斷；下巴方闊而突出，表現出他是一個有定力的人；他的兩手時常染滿了墨跡和化學物品，但動作卻又很小心而精細。因爲我時常觀察他整理脆薄易碎的化學器具。

我對這個人的確充滿了好奇，我也時常希望攻破他緘默的壁壘，以便知道他的身世，但讀者一定會說我未免太無聊了。但各位在下斷語之前，請先想一想我的情形。我的生活眞是沒有目標，長日無聊，沒有什麼事物足以吸引我的注意；除了天氣特別晴溫的時候外，我的身體並不允許我外出，所以我多半都是困坐室內。此外我也沒有朋友可以調劑單調的生活。在這情形之下，我全部的精神便自然而然地專注在我這一位同伴身上。有時我還特地下了許多工夫，希望刺探他的神祕生活。

他的確不是研究醫學的，因他也曾確切地告訴過我，就像史丹福告訴我的一樣。他既不是想要靠某種研究來獲得科學上的學位。也不是爲了準備什麼基本的學識，企圖跨入學府的門檻。但他的研究精神卻很熱誠，豐富的學識和精細廣博的觀察力，常使我驚訝不已。論情，一個人如果沒有確切的目的，應該不會如此專心用功。因爲漫無目的讀書的，一定無法收到眞確的學識效果，除非是有什麼特別的目的，否則決不會有人肯在瑣碎的事情上下工夫的。

他的知識雖豐富，但他所不知的領域卻也很多。例如近代的文學、哲學和政治學等，他幾乎完全不知道。我有時提起文學家托馬斯·卡萊爾，他竟茫然不知，反問我這個人是誰，幹過什麼事情。最使我詫異的是，有一次我發現他對哥白尼的學說，和太陽系的理論竟也完全不知。試想在這十九世紀，號稱開化的人類，竟連地球繞日而行的學理也不了解，這實在讓我驚奇不解。

他見了我驚訝的表現，微笑地說道：「你好像很詫異。但假使我當眞接觸了這些學識，我也會設法忘掉的。」

「你想忘掉？」

他說道：「你聽著，我認爲人的腦子，像一間空的小閣樓，應當選取有用的東西陳放在裡面。只有傻子才會把所接觸的任何材料，隨意堆放在內，而讓有用的智識，反而被擠得沒有儲存的餘地，即使他能夠設法把各種東西堆疊起來，但在取用的時候，也一定有不便之處。但精於工作的人，對於陳放在腦中的材料，一定很謹愼選擇。他除了工作上應用的智識以外，決不容許別的東西混雜進去，並且也會把那些存放的東西整理得井井有條，便利他工作時取用。有些人以爲這小室的牆壁有彈性，可以隨意伸展，就猛在學說上貪多務博，這實在是很大的謬誤。殊不知新智雖然增加，舊的卻也忘了。因此，最要緊的事就是決不可以讓沒用的東西奪佔你腦中有用的位置。」

我抗辯道：「但太陽系的理論，實在是不應除外！」

他不耐地道：「這又與我何干？你說我們的地球繞日而行，但假使地球繞月而行，那對於我和我的工作，絲毫沒有任何的影響啊！」

這時，我很想探問他的工作究竟是什麼性質，但從他的態度上觀察，我的問題一定不受歡迎。我將我們的談話在腦中盤繞一遍，想從這番談話中略加推究。他說凡與他沒有關係的學識，他決不採取，那可知凡他所有的一切智識，一定都是對他有用的了。於是我就用鉛筆一一記在紙上，記完以後，瞧了也覺得好笑。那紙上記著：

歇洛克・福爾摩斯學識上的範圍

一、文學知識——沒有。

二、哲學知識——沒有。

三、天文學知識——沒有。

四、政治知識——淺簿。

五、植物學知識——不限一種，精究莨菪、鴉片和一切毒性植物。實用的園藝學則全不知道。

六、地質學知識——偏於實用，但也有限度的。他在一眼之中就能分辨是那裡的泥土。有一次他散步回來，褲子上沾了些泥巴，他事後從泥土的顏色和成分上分析，便指出那泥痕沾於倫敦何處。

七、化學知識——很精深。

八、解剖學知識——準確而沒有系統。

九、關於驚險文學的知識——很廣博。他似乎對近一世紀中所發生的一切恐怖事情，都能深知底細。

十、提琴拉得很棒。

十一、他是一個使棍的專家，也精於刀劍拳術。

十二、具備充分實用的英國法律知識。

我寫完了這幾節，就很失望地把這紙丟進火中。

我對自己說：「我雖然已列舉他種種所長，卻仍不能察知他究竟從事何種行業，還不如立即放棄我無謂的探查吧！」

我記得我說過，他拉提琴的本領很高妙。但這方面也和他其他的知識一般，有幾分奇特之處。我知道要他拉出很艱難的曲子絕對沒問題，因爲有幾次他在我的請求下，拉大音樂家孟德爾頌的曲子，和一些他所心愛的曲子給我聽。但當他一個人的時候，他便只是隨便弄些聲音，實在很難稱之爲曲子的。

每當黃昏，他總仰靠在扶手椅上，閉著眼睛，將提琴放在膝上，隨便拉彈。有時琴聲低幽而悽鬱，有時卻激烈而愉快。這樂聲明顯流露出他的心境，但不知究竟是樂聲鼓舞了他的情緒，或這樂聲就是他心情的結晶，我無從斷定。我有時聽他拉出一些很不悅耳的聲調，眞是有點無法忍受，若不是他在這種噪音以後，接連表演幾首我所喜歡的曲子以爲補償，那我不免要當面抗議了。

在我們搬家後一兩個星期之內，皆沒有人來拜訪，所以我猜我那同伴大概也和我一般孤零沒有朋友。不料他的交友很廣，並且社會各個階層的人都有。有一個枯黃、黑眼、獐頭鼠目的人，叫做雷斯特拉，這個人每星期總要來三四次；一天早晨，有一個年輕女子來訪，穿著非常入時，耽擱了半小時才離去；那天之後，又來一個灰髮衰老的客人，模樣像一個猶太小販。我瞧這人很驚惶，後面還緊跟著一個

福爾摩斯交友廣闊，社會各階層的人都有。

穿拖鞋的老婦·,還有一次,一個白髮的紳士來瞧我的同伴·,隔了一日,又有一個穿絨質制服的鐵路侍者來求見。每逢這種奇特的客人們來時,歇洛克·福爾摩斯常要求借用那一間起居室,我也往往退回臥室中。他擔心我感到不便,常因此向我道歉。

他道:「我必須把這一間房當做我的辦公室,這些人都是我的主顧。」

這時我又有一個機會可以問個問題。但我審愼地思考,覺得不應強迫他告訴我他的私事,那時我覺得他似乎是刻意隱瞞他的職業,然而不久後,他竟放棄了之前的堅持,把他自己的工作性質向我說明了。

那是三月四日,這一天我記得非常淸楚。那天我比平時起得早些,見歇洛克·福爾摩斯的早飯還沒有吃完。那房東太太素知我有晚起的習慣,所以餐桌上並沒有我的座位,也沒有預備我的咖啡。我沒來由地惱怒起來,立即按鈴,並簡單地告訴那主婦,我已準備就餐。接著,我從桌上取了一本雜誌,隨意消遣,我那同伴靜悄悄地,只管嚼他的麵包。雜誌上有一篇文章,標題下面有鉛筆劃記,我就自然而然地先讀這篇。

這篇的標題,似很誇大,叫做「人生之鏡」。文中論述一個精於觀察的人,如果對於接觸的任何事物都能下一種準確而有系統的觀察,所得一定很大。我覺得這話未免無稽,理論上雖似切近而緻密,但論斷未免太過浮泛誇大。那作者聲稱,只要從人們瞬間的表情,例如肌肉的牽動,或眨一眨眼睛,便能察知那人心底的想法。想在觀察和分析上受過訓練之人的面前做出欺詐的行爲,實在是不可能的。他觀察的結論會和歐幾里得的幾何學定律一樣準確。不過這種結論若告訴一般不了解的門外漢，他一定就要被當成是一個行巫術的人了。

那作者道：「一個邏輯學家從一滴水中便可推知大西洋或尼加拉瀑布的存在；他也許從來沒有見過或聽過，但實際上卻並沒有影響。因世間的一切生命就像一條大錘鍊；我們只需瞧見其中一環，就可知全體的性質。推斷學和分析學也像其他的藝術一般，必須經過長時間的研究，方有所得。但這一科的最高極峰，雖盡畢生能力，也未必能夠達到，故而在研究精深的難題以前，不妨先練習解決較淺近的問題。譬如看見一個人，在一眼之間，就能辨別那人的生世背景和所從事的職業。這種事看來好似沒有意思，但實際上卻能磨練人們觀察的本事，教人知道如何和從何處觀察。從一個人的指甲、衣袖、鞋子、褲子上的膝蓋部位，大拇指和食指上的肉繭、襯衫上的硬袖口，和臉部表情等等，都可以透露出那人的職業。假使聚集了這種種的觀察，卻仍不能得到推理的結果，那實在是不應該。」

我讀到這裡，不禁將雜誌向桌上一丟，大聲道：「眞是無稽之談！我生平從沒有讀過這樣荒謬的文章。」

歇洛克·福爾摩斯問道：「什麼事呀？」

我一邊坐下來用餐，一邊把盛雞蛋的湯匙指著雜誌，答道：「就是那一篇論文。我想這一篇你一定已讀過，因你曾用鉛筆在標題下做記號。我承認那文字很生動，但我覺得很荒謬，這種理論，一定是什麼長日坐在扶手椅中的懶漢，伏在書室一角裡隨便寫出來的。都是不切實際的說法，我很想把他關在地鐵的三等車廂裡，叫他把同車人的職業，一一指出來，我願下一千比一的注金，和他賭一賭。」

福爾摩斯很平靜地答道：「你的注金一定要喪失了。至於那篇論文，就是我寫的。」「你？」

「是。我有一種敏於觀察和推斷的能力。那論文所發表的理論，你認爲是荒謬無稽，其實絕對切於實用的。現在我每天吃的麵包、奶油，就是靠著這理論得來的。那你就可見實用的程度究竟如何了。」

我很小心地問道：「你靠此生活？」「這就是我的職業。我想從事這種職業的，全世界大概只有我一個人。我是一個顧問偵探，你也許知道這是什麼行業吧！在倫敦，有無數官家偵探和私家偵探。這些人辦案有時走錯了方向，便到我這裡來請教，我就設法把他們引進正軌。他們把一切證據告訴了我，我憑著我所擁有的犯罪史上的知識，大概也都還能解決他們的疑難。須知所有犯罪的行爲，往往有相同之處，假使你把一千件案子的詳情羅列在你手邊，卻還不能幫助你解釋一件案子，那就太奇怪了。雷斯特拉是一個有名的偵探，他近來爲了一件詐欺案，墜入五里霧中，因此常到這裡來見我。」

我道：「那麼，其他的人呢？」「他們大半也是經由私家偵探指點而來的。這些人都是有了困難，想尋求解決的方法。我聽他們陳述事實的經過，他們聽我評斷。這樣，酬勞便進囊中來了。」

我道：「你是說別人即使親身調查，也還不確定能解決，你足不出戶，卻仍然能夠解決疑難？」

「是啊！我在這種事上，有一種直覺的能

力。萬一有什麼疑難而複雜的案子發生，那我也不能不出去親自瞧察一下。你知道我在這方面有幾種特別知識，應用時常奏奇效。那篇論文中所說的推斷的定律，你雖譏爲無稽，但在我應用的事業上，卻非常寶貴。而我的觀察能力就是我的第二專長。還記得我們初次見面時，我曾說你是從阿富汗來的，你還覺得十分詫異呢！」

「不用說一定是有人告訴你的。」

福爾摩斯道：「沒有這回事，我自己知道你是從阿富汗來的，我因爲長時間經驗的累積，思路的進行非常迅速，剎那間便能歸出一個結論。其實這思路進行原是有步驟的，現在我試著把我的思考歷程過程告訴你：『有一個人長得很像醫生，但氣概上卻像軍人。由此可知他是一個軍醫了。他的皮膚黝黑，很顯然是剛從熱帶回來的。因爲他皮膚的本色並不黑，瞧他腕上的白皙皮膚便是明證。他的面容憔悴，這是受過傷害和病痛的表徵。他的左手曾受傷，這是從那隻手不靈活的狀態下觀察到的。試想一個英國軍醫，會在熱帶歷險受傷，這究竟是什麼地方呢？那自然是阿富汗了。』我這些思考的歷程，實際上不到一秒鐘工夫，因此我就說你是從阿富汗回來的。」

我微笑答道：「一經你這樣解釋，也就很簡單了。這讓我想起愛笛加・愛倫・坡的杜賓偵探來了，但我實在想不到除了小說以外，竟眞有這樣的人存在。」

歇洛克・福爾摩斯站起身來，點著了他的煙斗。

他道：「你把我比做杜賓，一定含有讚訣的意思。但我認爲，杜賓只是一個平庸的人物，他所有的技倆，就只在和朋友默坐了十五分鐘後，能測知那人心中的思緒，其實眞是膚淺至極。他固然有一些分析的天份，但實在不足以成爲愛倫・坡筆下的偉大人物。」

我問道：「你可曾讀過加博里歐的小說？他書中的勒寇克，在你心中也算是一個偵探嗎？」福爾摩斯很輕蔑地哼了一聲，惱怒道：「書中的勒寇克是一個不中用的人物，他只有一種長處，就是努力辦事。那小說眞使我厭倦。書中的主題就是怎樣辨別一個不知名的囚犯。這問題我在二十四小時中便能解決，勒寇克卻費了六個多月的工夫。這樣長的時間，足夠寫一本偵探教科書的反面教材，以便提醒一般偵探們知所戒避。」

我聽他把我所欽佩的二個人物奚落得一文不值，不由得非常懊惱。我站起來走到窗口，往下望那喧鬧的街道。

我低聲自語道：「這個人也許很聰明，但他畢竟太自負了。」

他忽抱怨地嚷道：「這幾天竟沒有罪案發生，這樣，我們做偵探業的人的腦子不是等於浪費了嗎？我自知我所擁有的才能足以讓我成名，也知道再也沒有第二個人可以在偵查罪案的本領上和我相提並論。但既沒有值得查的案子發生，我的才能又有什麼用處呢？近來雖有一二件笨拙的案子，但案情都是如此平淡，隨便派一個蘇格蘭警場的偵探已十分足夠了，那裡用得著我呢？」

我聽了他這種自負的話，心中益發惱怒，因此想，不如換一個話題。

我於是向街上指了一指，問道：「這個人不知要找什麼？」此時街的對面，有一個穿便服，體格壯碩的男子，正慢步仰望各屋門號，他手裡有一個藍色的大信封，很顯然是一個送信的人。

歇洛克．福爾摩斯接口道：「你是在問那個退休的海軍上校嗎？」

我暗自忖度道：「他好狡猾啊！他知道我無法叫這個人來證明他說的話，竟故意賣弄他揣測的本領。」

這想法還縈留在我的腦中，忽見那個我們所觀察的人，似已瞧見了我們住處的門號，從街的對面急奔過來。不一會兒，我們便聽到下面傳來叩門的聲音，接著沈重的腳步聲已從樓梯上傳來。

那人走進來，將手中的信交給我的同伴說

道：「這信是給歇洛克．福爾摩斯先生的。」

這時我暗想，他剛才的揣測，此刻有機會可證實了，我料他當時信口而發，絕想不到有這對質的機會的。我突然問道：「先生，請問你是什麼職業？」那人用粗魯的聲答道：「我在政府機關當差，我的制服拿去修補了。」

這時我向我的同伴瞅了一眼。又問道：「那麼，你以前幹過什麼事呀？」

那人道：「我從前是海軍輕步兵隊的上校。先生，沒有回信嗎？」

他問了一句，便立正舉手行了一個軍禮，退身而出。

第三章　空屋中的兇案

我承認自從這一次證明以後，我對於我同伴的推理能力十分敬佩。雖然如此，我心中還是含著些疑問，懷疑這件事是他預先安排好的，打算故意讓我驚奇。但若果眞如此，究竟有什麼目的，我又想不出來。於是我回頭瞧他，見他已讀完來信，目光空洞，似乎正在運思。

我問道：「你怎麼推究出來的？」他粗聲道：「推究什麼？」

「就是你說他是一個退休的海軍上校的那個人。」

他不悅地道：「我現在沒有工夫談這樣的瑣事。」接著，又含笑道：「請恕我魯莽。你把我的思路打斷了——但也無妨。你當眞瞧不出這個人是一個海軍軍官嗎？」「我眞的是瞧不出來。」

他道：「實際的推測，比用言語解釋容易得多。假使有人請你設法證明二加二等於四，你難免覺得困難，但實際上你卻明知確實無誤。剛才那個人雖然隔著一條街，我卻仍能瞧見他手背上刺著一個藍色的大錨，這就是海軍的明證。此外他兩頰留著鬢髯，氣宇軒昂，帶有一種發令的神氣，這可從他行走時頭部仰直，和他揮動手杖的姿勢上得知。他的年紀已近中年，神情莊嚴而可敬。所以根據這些特徵，我便料他至少曾做到上校。」我讚嘆道：「好奇妙啊！」

福爾摩斯答道：「這其實平常得很。」但他的表情卻顯得很樂意接受我的稱讚。他繼續道：「我剛才說沒有犯罪事件發生，這句話我說錯了，你瞧瞧這封信。」說時，他把那人送來的一封信拿給我瞧。

我的眼睛在信上一瞥，驚呼道：「啊，這眞是可怕！」

福爾摩斯仍很平靜地回答：「這件事似乎與平常的案子略有不同。厤煩你唸給我聽？」

我於是朗讀那來信：

「歇洛克．福爾摩斯先生：

昨夜三點鐘，孛力克斯頓路的盡頭，勞列斯登花園街發生了一件兇案。那屋子本是空的，巡邏的夜警於兩點時，曾瞧見那裡有一線燈光，因而懷疑出了什麼岔子。他見那屋子的門開著，裡面有一個屍體，衣著整齊。屍體的口袋有幾張名片，印著『依拿克特．蘭勃，美國俄亥俄州，克利夫蘭人』。死者身上沒有被盜的跡象，也瞧不出致命的證據。屋中有幾處血跡，但身體上並沒傷痕。我們實在查不出他爲什麼會進空屋去。這件事簡直是一個謎。今天十二點以前，希望你能夠到這屋子一趟，我隨時在那裡等你，我此刻仍保留完整的現場，準備等你到後再動。如果你不能來，那我也當將詳情奉告，若能指教一切，我實在很感激。

特伯斯．葛萊生上」

福爾摩斯等我唸完，說道：「葛萊生要算是蘇格蘭警場警探中最敏慧的人了。他和雷斯特拉實在都是警界中的佼佼者，他們都很敏捷而勤奮，不過有點太拘泥。但這二人彼此相妒，暗中互相較勁。這案子如果讓他們倆一塊兒合作，那一定要鬧笑話的。」

我見了他那種悠閒的樣子，有點詫異。我說道：「這事可不能耽誤一分鐘的。要我幫你去雇一部車子嗎？」

他道：「我還不一定什麼時候去。我實在是一個無可救藥的懶鬼，但有時高興起來，卻也是敏捷異常的。」我道：「這就是你所期望的機會啊！」

「我的好朋友，這又與我有何相干？假使我破了這案子，那全部的功勞，不用說都是葛萊生和雷斯特拉一班人的——只因爲我並不是官方的人。」

我道：「但他此刻是來求你幫助的。」福爾摩斯道：「正是，他知道我的才能在他之上，所以向我求助，然而成功以後，他寧願被割舌，也決不會承認功勞是第三人的。雖然如此，我不妨去瞧瞧。我也許可以憑我個人的能力解決這事。即使我在破案後得不到什麼，至少也可以笑笑他們。我們就去吧！」

他披上了外衣，又快速整理，顯然他的興趣已經被引起。他道：「去拿你的帽子吧。」我道：「你要我一同去？」「是啊，你如果沒有別的事，不妨同行。」

一分鐘後，我們倆已進了一輛馬車，急速朝孛力克斯頓路前進。

那是一個陰雲多霧的早晨，屋頂上彷彿罩著一層褐色的帷幕，瞧上去好像是泥濘街道的倒映。我的同伴精神很好，喋喋不休地談論克里墨那提琴和其他提琴的異同。而我卻靜坐無聲，因爲那沈悶的天氣和慘怖的任務，已將我的情緒破壞殆盡。

最後，我打斷他所發表的音樂議論，說道：「你對這案子不太在意，是吧？」

他答道：「還早呢。須知你若在搜集證據以前，就先預設想法，那就是最大的錯誤。探案最重要的是根據事實，然後才下判斷。」

我用手指著，答道：「那麼，你所需要的證據，不久就可以得到了。這一條就是孛力克斯頓路，那一宅屋子，就是案發的地方了吧？」

他應道：「正是，車夫，快停車！」其實那時我們還距離發生命案的屋子一百碼左右，因爲他堅持要停，我們就下車步行。

勞列斯登花園街三號的外表，瞧去眞是淒厲可怕。那裡有四幢屋子毗連著，離街道略遠，兩宅有人居住，兩宅空著。那幢空屋靠近街道的那面，有幾排緊閉的窗戶，幾塊玻璃上，掛著模糊了的「招租」牌子。屋子的前方，各有一個小園子與街道分隔開來，園中還有些枯樹。一條黃色的狹徑，是黃泥和石子交砌而成的。地上因爲前一天晚上曾經下雨，所以很泥濘。園子的外面，圍著三呎高的短牆，牆頭裝著木柵。那時有一個高大的警察靠這短牆站著，他左右又圍著幾個閒觀的人，都伸頸張目地朝屋子裡瞧，卻始終看不見什麼。

這時我料想歇洛克・福爾摩斯勢必要立刻奔進屋去，研究那一件神祕的案子了。可是他的模樣並不急切，反而是在屋子外面的小徑上踱來踱去。他先瞧瞧地上，又仰起頭來看看天空，接著又瞧瞧對面的屋子，和那短牆上的木柵，這樣觀察了一會兒，才又緩緩走進狹徑上去，眼睛盯著狹徑兩旁的草地，似很專注。他停下來兩次，有一次我見他臉露微笑，且發出一聲滿意的歡呼。在濕泥上面，印著不少的足印，但警察們既在這裡進出過了，我不知他還能辨別得出什麼。也許他的觀察力高人一等，我沒看見的，他卻看得出來，也未可知。

我們在屋子的門口，遇見一個白臉細髮的

高大個兒，手中執著一本小冊子，奔出來和我的同伴握手。

那人道：「你眞的來了！眞是太感謝了！一切東西，我都保留著沒有移動。」

福爾摩斯指著那狹徑說道：「那地方就除外了！假使有一群水牛從那裡經過，也不會比現在更混亂。葛萊生，我想你在答應別人踐踏以前，必已先把這泥徑上的情形記錄下來了吧？」

葛萊生託詞道：「我在屋裡面忙著。我的同事雷斯特拉先生也在這裡，外面的事全歸他管。」

福爾摩斯向我瞧了一瞧。他的眉毛揚了一揚，露出輕鄙的表情。

他道：「有了你和雷斯特拉這樣兩個大人物在這裡搜索，第三個人當然不可能再找出什麼了。」

葛萊生搓著兩手，似十分得意，答道：「我想我們已各盡所能了。這實在是一件奇怪的案子，我料想一定合你胃口的。」

歇洛克・福爾摩斯問道：「你是不是坐車子來的？」「不是。」「雷斯特拉也沒有坐車子嗎？」「正是，先生，他也沒有。」福爾摩斯道：「那麼，我們到裡面去看看吧。」

他問了這兩句突兀的話之後，便進屋去了。葛萊生在後面跟著，臉上滿現著不解的表情。

屋中有一條短甬道，直通廚房和辦公室，地板上沒有地毯，卻積滿了灰塵。左右兩旁各有一扇門，一扇似乎已有好幾個星期沒有開過了，另一扇是進入餐廳的門。兇案就發生在餐廳裡面。福爾摩斯跨步進去，我跟著同進，心中卻產生一種淒愁的情緒，分明是被那屍體引發出來的。

那是一間寬大的方形屋子，因爲沒有任何器物，顯得非常寬廣。牆壁上糊著廉價的花紋壁紙，已有不少霉點，有幾處已剝落，露出黃色的粉堊。在門的對面有一個壁爐，爐壁外框是用假白石砌成的。爐臺的一角放著一根紅色的蠟燭，而那裡只有一扇污暗的窗，所以室內的光線顯得十分昏暗，到處都蒙上一種黯淡的色彩。

這種景象是我後來才特別注意的。當我一進去時，我的注意力便完全集中在那個臥在地板上的屍體。那僵直的屍體仰面向著天花板，空洞無光的眸子似還直朝著那褪色的天花板瞧。這人約四十三、四歲，體格中等，肩膀很寬，一頭黑色的鬈髮，下巴還有些短硬的鬍子。

他身上穿著厚重的外衣，裡面有一件背心和淡色的褲子，硬領和袖口都十分潔淨沒有污點。他身旁的地板上有一頂高帽，刷理得很整潔。他的兩手握著拳頭，手臂分展，但兩隻腿則交疊著，似乎他死前曾受到驚嚇。臉上才露出這種恐怖的表情，害怕中似乎還帶著怨恨。我從來沒有瞧見過這種景象，死者的面容很恐怖，低削的額角，扁圓的鼻子，高突的顎骨，和他不自然的姿勢，都讓他看起來像一隻猿猴。我見過的屍體很多，但從沒有見過比這倫敦偏僻暗屋裡的一切，更加慘怖的了。這時瘦瘠如骨的雷斯特拉走到餐廳門口站住了，並向我的朋友打招呼。

他道：「先生，這案子一定會成爲駭人聽聞的怪事。我也不是新手，但我竟一點頭緒也沒有。」葛萊生道：「沒有一點線索！」雷斯特拉附和道：「當眞絲毫都沒有。」

歇洛克・福爾摩斯走到屍體旁邊，跪下來仔細察驗。

他瞧了一會兒，便指著四周的血跡，問道：「你們確定屍體身上沒有傷痕？」那兩個偵探同聲道：「確實沒有。」

福爾摩斯道：「那麼這血跡一定屬於第二個人了。假使這是一件謀殺案，這血跡也許就是兇手的。這使我想起在一八三四年間，尤垂克特地方的范強森被殺的樣子。葛萊生，你可記得這案子？」「先生，我不記得。」

「那麼，你應當把這舊案的記載，翻出來仔細再讀一遍。須知這世界上實在沒有新鮮事，什麼事都是從前就有人做過的。」

當他說時，他那靈敏的手指，不停地在這裡觸觸，那裡摸摸，然後又解開了死者的衣鈕，仔細檢驗。突然，他的眼睛又露出那種我說過的茫然眼神。他的檢驗非常迅速，若不熟悉他的人，必不信他已檢查得清清楚楚了。最後，他用鼻子嗅嗅死人的嘴唇，又瞧瞧他的靴底。問道：「這屍體一點兒也沒有被移動過嗎？」

「我們只在檢驗時略略動過。」

福爾摩斯道：「你們可把他送往安葬所去了，此刻已沒有查驗的必要了。」

葛萊生早已預備好一副擔架和四個抬擔架的人。經他一叫，四個人便進來將屍體抬送出去。當他們將屍體提起時，忽然叮的一聲，有一個戒指滾落在地板上面。雷斯特拉忙拾了起來，很驚訝地看著。

他說道：「一定曾有一個婦人到過這裡。這是一個結婚戒指啊！」

當他說時，將戒指放在掌心給我們看。我

們圍近一瞧，見那純金的戒指，確似曾在一個新娘的纖指上套過。

葛萊生道：「天知道！這案子已經夠複雜；有了這個東西，又更複雜了！」

福爾摩斯問道：「你確信這戒指不能使案子得到一線光明，反變得更複雜嗎？現在你這樣呆瞧著它是沒有用的。你在他衣袋查出了什麼東西？」

葛萊生答道：「我們查得的東西，都在這裡。」說時朝樓梯最後一級上面的東西指了一指，又繼續道：「一個金錶，號數九七一六三，倫敦白勞特公司製造的；一條阿爾培特式的金鏈，堅實而沈重；一個金戒指，鐫著共濟會的徽章；一枚金扣針，上有狗頭圖案，狗的眼睛是兩個紅寶石；另有一個俄國皮的名片匣。名片上印著『依拿克特・蘭勃，美國，俄亥俄州，克利夫蘭人』字樣。這名字和他襯衫上E，J，D，三個縮寫字母恰好相合。此外，沒有錢包，但有些零錢，約七鎊十三先令；另有一本薄伽丘袖珍版的小說，扉頁上簽著約瑟・史坦格遜的姓名。另有二封信，一封是寫給這個死者蘭勃，另一封是寄給史坦格遜的。」

福爾摩斯問道：「什麼地址？」「寄到海濱街美國交易所，由本人自己去取。這兩封信都是從戈恩輪船公司發出的，報告他們輪船從利物浦開出的日期。可見這個不幸的人正準備要回紐約去。」

福爾摩斯問道：「你可曾打聽過那個史坦格遜？」葛萊生答道：「我已立刻朝這方面進行了，一邊在各報登載廣告，一邊派人到美國交易所，那人還沒有回來。」「你可曾向克利夫蘭當局打聽？」「我們今晨已發過一個電報。」

「你怎麼詢問的？」「我只說明這件事的情形，並說若有助益的消息告訴我們，我們將非常高興。」

福爾摩斯問道：「你有沒有問一些你覺得和這命案有特殊關連的事情？」葛萊生道：「我問起史坦格遜。」「此外你沒有問及其他的事了？難道這件案子眞的沒有關鍵之點？此刻你可能還要再發一個電報。」葛萊生悻悻然道：「我所要問的事，都在電報中說明了。」

歇洛克・福爾摩斯笑了一笑，正要發表什麼意見的樣子，忽見雷斯特拉從剛才陳屍的房間出來。原來當我們在外室談話時，他一個人不知在裡面做什麼。此刻搓著兩手，很得意地走過來。

他道：「葛萊生先生，我發現了一個最重要的證物。假如我沒有在牆壁上仔細察驗，這一點也許要錯過了。」

說時，他的兩隻小眼睛閃閃發光，好像是他已搶先在他的同事之前先下了一隻棋子，禁不住洋洋得意。

他再回到室中，說道：「進來。」我們走進去時，覺得屍體移去之後，室中的景象，頓覺清潔了些。

雷斯特拉又道：「現在請站在那裡。」說時他取出火柴，在靴底上擦了一下，便舉起來照那牆壁。

他歡呼道：「瞧這裡！」

我說過，那糊壁的紙，有幾處已剝了。壁角有一大塊紙更是整片都掉下來，露出一塊方形黃色的粉堊。在這塊破碎之處，卻寫著一個血紅的「RACHE」字。

雷斯特拉眞像一個獻寶的人，把他的寶物

向人家炫耀一般，呼道：「你們認爲怎樣？這要點所以被忽略，就因爲這屋角是全室最黑暗的地方，因此沒有人到這裡來查看。想必是那兇手用他自己的血寫的，試瞧，這裡還有血滴落下來的痕跡！無論如何，這都是和自殺的論點相反的。你們也許要問這個字爲什麼寫在這壁角？我來告訴你們。你們有沒有看見爐簷上的蠟燭？那時燭火必點著。如何？這最黑暗的一角，當時反而是最亮的一角，所以那人就將這個血字寫在這裡。」

葛萊生輕蔑地問道：「你發現了這個有什麼意義呢？」

「意義？這一定是那人想寫一個女子的名字——瑞契爾（Rachel），但還來不及寫完。你記著我的話，等到全案解決後，你必能查出一個名叫瑞契爾的女子和此案有關。歇洛克・福爾摩斯先生，你儘管笑。你的確是很靈慧的，但是等到結案的時候，你就會知道老獵狗的本領還是略勝一籌的！」

福爾摩斯此時發現因爲自己的縱笑，幾乎使這瘦子惱怒。故說道：「眞是對不起！你發現了這個證跡，當然在我們三人中，就屬你功勞最大。你說這個字是兇案中的另一人寫的，也很接近事實。我起先還沒有時間察勘此室，此刻你如果允許，我就要來瞧一瞧了。」

他話說完，就從口袋中拿出一卷軟尺，和一面圓形的放大鏡來。接著便在室內踱來踱去，有時站，有時跪，更有一次他竟趴在地上。他這樣專心一志地從事察驗，好似已忘卻還有人在他的面前。他嘴裡一會兒低呼，一會兒微嘆，有時又吹著口哨，表示他的得意和希望。他這樣子察驗，使我記起那種受過訓練的獵犬，在草叢中往來嗅尋，不尋到獵物的蹤跡決不停止，此刻我同伴的樣子，眞和獵犬一般。他大約檢驗了二十多分鐘，幾次用軟尺測量地板上一些痕跡的距離——我實在看不出有什麼痕跡，然後又去量牆壁，那就更不知有什麼用意了。在一處地板上，他很謹愼地取起一小堆灰色的塵土，放入一個信封中。最後又用放大鏡查看那牆上的血字，他仔細查驗每一個字母，一點也不輕忽。查驗完畢似乎很滿意，便將尺和放大鏡又放進口袋。

他微笑著說道：「有人說，凡是有天分的人，都有勤奮耐苦的能力。這句話不完全對，但用在偵探事業上，確是很切實的。」

葛萊生和雷斯特拉二人見了福爾摩斯的種種舉動，都很詫異，並帶著幾分輕視的表情，他們顯然都不能了解他動作的用意。但我卻有幾分明白，我同伴的一舉一動，必都有實際上的目的。

他們倆同聲問道：「先生，你認爲怎麼樣？」福爾摩斯答道：「我假使妄自幫助你們，不免就奪取了你們的功勞。你們現在進行得非常順利，其他的人實在不便干涉的。」他說話的聲音，滿含著譏笑的意味。他繼續道：「如果你們肯把調查的情形隨時告訴我，那我也不妨盡我的能力相助。現在我要和那位發現屍體的警察說幾句話，你們可以把他的姓名、住址告訴我嗎？」

雷斯特拉瞧瞧他的筆記簿，答道：「他叫約翰·萊斯，此刻已下班了。你可以到肯寧頓公園路，奧特蘭場四十六號找他。」

福爾摩斯將住址記在小冊上，向我道：「醫生，走吧。我們去找這個人。」然後又回頭向那二位偵探道：「我告訴你們一件事，對於這案子應該有些助益——這是一件謀殺案。那兇手是一個男子，他的高度在六呎以上，應是個壯年人，他的腳很小，穿著粗皮的方頭靴子，抽著一種印度的雪茄。他和那個被害人是同乘四輪馬車來的，拉車的馬，蹄鐵有三個是舊的，前面一個是新的。我猜想那兇手的臉色赤紅，右手的指甲特別長。這些線索雖還不算完備，但對你們多少有些助益。」

雷斯特拉和葛萊生面面相覷，露出一種不相信的微笑。

雷斯特拉問道：「假使這個人是被人謀殺的，那是如何被謀殺的呢？」

歇洛克・福爾摩斯一邊轉身出去，一邊簡語答道：「中毒死的。」他走到門口，又回頭說道：「還有，雷斯特拉，那『Rache』一字在德文中是復仇的意思，因此，你不必虛費工夫去找那瑞契爾小姐了。」

說完了這話，他便匆匆走出，任那兩個偵探張開了嘴，在後面目送他離去。

第四章　警察的談話

我們離開勞列斯登花園街三號時，已是一點鐘了。歇洛克．福爾摩斯帶我到距離最近的電報局去，拍了一個長途電報。接著他雇了一部車子，吩咐車夫送我們往雷斯特拉所說的那個地址。

他說道：「探案最重要的就是直接的證物。這件事我已有了破案的把握，但既然還可以取證之處，我們當然也不能放過。」

我道：「福爾摩斯，你眞使我詫異。我想你對剛才所指示的一切，似乎都非常肯定，但實際上大概不見得像你所說的一般準確吧？」

他答道：「不，我的話決不會錯。當我到那裡時，第一眼便看到路旁石頭下面，有兩道車輪的痕跡。而這裡已一個星期沒有下過雨了，昨夜才下雨，可見那深陷的輪跡，一定是在昨夜下雨過後才留下來的。此外在馬蹄的印子中有一隻蹄印比其他三隻更淸楚，由此可知那一隻蹄鐵一定是新換上去的。又據葛萊生說，天亮的時候，並沒有看到馬車，便知那馬車必是在昨夜裡去的。而馬車之所以在那裡停頓，也不用說就是載那案中的兩個人去的。」

我道：「這樣聽來，似乎就很簡單了。但那個人的高度，你是如何知道的呢？」

福爾摩斯道：「人的身高，十之八九可從舉步的大小而知。這是一種簡單的算法，我應該不需要將算式寫給你瞧了。我在外面的泥徑上和裡面的灰塵印上，量得了那人步伐的距離，略一推算，便知他的高度。此外另有一證，一個人在牆壁上寫字，高度大半都和他的眼光成平行線。那牆上的血字高度，從地板上量起，足足有六呎，因此便知那人的高度必在六呎以上。經過這樣層層的分析，不就像小孩的遊戲一般容易明白了。」

我道：「那麼，他的年齡呢？」他道：「假使一個人能一步跨出四呎半，而且毫不費力，便可知那人必非瘦黃衰弱的人。那園徑是泥和石子砌成的，靴印雖然已經模糊不清，但那方頭的靴印，卻仍在上面。依據這幾點，他是個壯年人當然就沒有疑問了。我所以能夠如此，就因我在一切事物上肯略下些觀察和推究工夫，這一節我早在雜誌的論文中已解說明白了。此外你還有疑惑的地方嗎？」

我道：「你之後又說有關那人的指甲、印度雪茄等，我還弄不明白你怎樣知道。」「那牆壁上的字，是那人用食指沾血寫的，從放大鏡中，我瞧見寫字處的粉堊有些擦痕。假使那人的指甲修剪整齊，勢必不會如此。我又在地板上取得一些煙灰——灰黑色，成片屑形，這就是印度雪茄的特徵。我在雪茄煙灰上，也曾下過特別的研究工夫，而且還做過一篇關於這題目的論文。我自誇只須看煙灰一眼，就能立即分辨出那煙草是什麼牌子。對於這種細節，幹練的偵探處理的方式就和葛萊生、雷斯特拉等人不相同了。」

我又問道：「至於那人臉色赤紅的問題呢？」「這一點我是冒險猜測的。但我自信也不至有錯。你現在不要再問我了。」

我舉手摸了摸我自己的額角，說道：「我的頭打結了！這時竟越想越覺模糊。假使這案中真的有兩個人，他們爲什麼要到那空屋去？

當時載他們倆去的車夫呢？另一個人又是如何強迫那被害人服毒藥的呢？血又是從那裡來的？這兇手既不是爲了盜劫，那又有什麼目的？那個婦人的戒指又是從那裡來的？除此種種，那人在逃走以前，爲什麼還要在牆上寫一個德國字『Rache』？我承認對這種種疑點，我實在都想不出答案。」

我的同伴微笑點頭，似很贊許我的話。他道：「你列舉案中的種種疑點，眞是簡單扼要。大體上我已胸有成竹，但還是有幾處待查證。雷斯特拉發現的血字，似乎暗示這案子與祕密黨會有關，目的無非要引警察們走入迷途。其實這一個字，並不是德國人寫的。你仔細瞧那個『A』字，很明顯是想學德國人寫。但眞正的德文，都寫成拉丁字體。因此，我們可說這字決不是德國人所寫，而是出於笨拙的摹寫人之手，希望借此當幌子，引警察走錯方向。醫生，我此刻不能再把案中的其他情形告訴你。你當知一個魔術家如果把他的技倆解釋明白，那便不得人家的稱賞。所以我如果讓你過分明瞭我工作的方法，你也一定會把我當作只是一個極平常的人物罷了。」

我答道：「我決不會如此。你差不多已將偵探術變成了一門精確的專門科學了，而它遲早要變成一門科學的。」

我的同伴臉紅了一下，似很樂意領受我誠摯的讚賞。我發現他喜歡接受有關他技術上的讚語，正像女孩子喜歡聽人家稱讚她的面貌姣好一般。

他又道：「我再告訴你一件事。那穿漆皮靴和方頭靴的人是同坐車去的。他們到了屋內之後，便在室中往來踱著步。也有可能是穿方頭靴的人往來走動的時候，那穿漆皮靴的人只是靜立不動，這種種跡象是我從灰塵印上看出來的。我又覺得那方頭靴的人，越走越發惱怒，這是從他的步伐增大上推測而知的。他邊走嘴裡邊咕噥著，最後狂怒起來。那慘劇便發生了。此刻我已把我所知道的完全告訴你了，其餘的我也只是在揣測之中。好在我們已有了著手的目標，儘可以依序進行。我們要趕緊些，因爲今天下午，我還要去聽海爾音樂會，聽諾曼·聶魯妲的演奏呢！」

我們說到這裡，車子已經進入一條幽暗而汚穢的街道，在一條最汚穢的巷子口，車夫將車子停住。

車夫指著一條狹窄而有灰磚牆壁的小巷，說道：「那裡就是奧特蘭場，你們出來時，可到這裡來找我。」

奧特蘭場眞是一個雜亂的地方。我們從那狹窄的通道進入了一個方庭，方庭地上鋪著石塊，兩邊排列著許多低陋的屋子。我們從無數衣著骯髒的小孩中穿越，又從一堆被太陽曬得褪色的衣物下面經過，方才找到了四十六號。那屋子門上釘著一小塊銅片，上面鐫著萊斯的名字。我們尋找的那警察正在睡覺，因此我們就在前面的小客室中略待。

不一會兒，那人著便衣出現，因爲我們打擾了他的睡夢，他臉上帶著不高興的表情。

他聽了我們要見他的目的，便悻悻然答道：「我已在警局中報告過了。」

福爾摩斯從口袋拿出一個半鎊的金幣，拿在手中玩弄著。說道：「我們想再聽你親口說一遍。」

那警察的目光注視在小金幣上，答道：「我

很願意把我所知道的一切詳告。」

福爾摩斯道：「現在請你再一次完整地說明你所經歷的情形。」

萊斯就坐在那張馬毛呢的沙發上，緊皺著眉頭，似竭力搜索他的腦袋。打算使他的故事完整，毫無遺漏之點。

他道：「我從頭說起。我值班的時候，除了在白哈德街有人打架之外，一切都很安靜。到了一點鐘時，下起雨來。我遇見在荷蘭樹林區巡邏的同伴麥契，於是就站在亨利德街的轉角上閒談了一陣。大約二點鐘，或二點稍過一點，我打算再巡行一回，看看孛力克斯頓路上是否完全安寧。那裡既冷清又污穢，一路上竟沒有遇見一個人影。只有一二輛馬車從我身後穿過。我邊走邊想，假使能夠飲一杯杜松子酒，身體不知將有多溫暖與舒服。就在這時，忽見一縷燈光從那屋子的窗口透射出來。我知道勞列斯登花園街有兩間屋子是空著沒有人住的，那是因爲屋主不肯修通陰溝，最後的一個租戶患了傷寒，死在其中一宅屋子，以後便沒有人再住。這時我驟見燈光，不覺大吃一驚，懷疑出了什麼岔子。等我走到那屋子的門口……」

福爾摩斯忽插嘴說道：「然後你站定了，忽又走回花園門口，這又是爲了什麼緣故？」

那警察道：「先生，正是。但你怎麼知道的呢？只有天知道了！我當時走到屋子的門口，覺得屋中冷清萬分，很想找一個人和我一塊兒進去。我並不是怕什麼歹徒，只怕那患傷寒而死的冤魂萬一此刻出現，特地來看一看致他於死的陰溝。我一想到這，就忍不住便退了出來，我希望能夠瞧見麥契的燈光，但沒瞧見，也不見有其他的人。」

福爾摩斯問道：「那時街上完全沒有其他的人嗎？」

「先生，不但沒有人，連一隻狗都沒有。於是我振作起來，重新推門進去，裡面靜悄悄的，我走進了有燈光的那一間，見壁爐簷上點著半段紅蠟燭，燭光飄搖不定，我從燭光中瞧見……」

「好了，你所瞧見的情形，我都知道了。接著，你在室中踱了幾個圈子，便跪在屍體旁邊。後來，又跨過他，去推開廚房的門，然後再……」

約翰·萊斯聽到這裡，忽跳起身來，眼中露出驚訝又懷疑的神情。他驚呼道：「這種種情形你在那裡瞧見的？你所說的一切，照理說你都不會知道的。」

福爾摩斯縱聲大笑，隨即拿出名片給那警察，道：「你可不要當我是兇手而捉住我，我不是狼，是隻獵犬。葛萊生先生，或雷斯特拉先生都可以證明的。現在說下去，以後你又做了什麼？」

萊斯坐了下來，但詫異的神情還留在臉上。他繼續道：「接著我退出來，到花園門口吹警笛，麥契和其他兩個同伴就應聲而來。」

福爾摩斯道：「那時街上仍空無一人嗎？」

「可算是的，因爲這時候街上實在沒有正經的人了。」福爾摩斯睜大眼睛道：「這話是什麼意思？」

那警察笑了一笑，答道：「我生平所見的醉漢不少，但沒有像那人如此的爛醉。當我走到花園門口時，那醉漢正靠在門外短牆上的木柵上面，他的身體分明已支撐不住了，嘴裡卻還嘟嘟噥噥地唱著。」

歇洛克・福爾摩斯問道：「他是什麼樣子的人？」約翰・萊斯似很不耐地回答：「他是一個爛醉如泥的醉漢。假使我們那時沒有公事，早把他送到警局裡去了。」

福爾摩斯又很急切地插口：「他的衣服、面貌，你可曾注意？」

「有，我和麥契兩人曾扶他一把。他的身材很高大，赤紅的臉，下邊似繞著……」

福爾摩斯驚呼：「夠了，夠了，這個人後來如何？」

那警察悻悻然道：「那時我們忙著那件兇案，來不及照顧他了。我確信他還可以回到他自己家裡去的。」福爾摩斯道：「他穿什麼衣服？」「一件棕色的外衣。」「他手裡拿著一根鞭子嗎？」「鞭子？沒有。」

我的同伴自言自語道：「那他一定已經把鞭子遺忘了。之後你可曾瞧見或聽到馬車聲？」

「沒有。」

我的同伴站起身來取他的帽子，又道：「這半鎊給你。萊斯，我認爲你恐怕永遠沒有升遷的希望了。你的腦袋似乎只是做裝飾用，否則，昨夜你儘可以有升做警長的希望。那個你扶起來的人，就是這案子的關鍵人物，也就是我們此刻正要設法尋覓的人。這是事實，此刻你不用分辯了。醫生，我們走吧。」

我們立刻就出來，回到車上，任那個顢頇的警察，尋味我同伴的說話。

當馬車駛回我們寓所的時候，福爾摩斯懊惱地道：「這個愚鈍的傻子！他遇到這樣一個難得的佳機，竟會輕易放過。」

我道：「我卻還是一頭霧水！那警察所說的醉漢形貌，固然和你所猜案中那個人的外貌相合。但那人既已離開了屋子，爲什麼還要再回來呢？這不像是犯罪人應有的舉動啊！」

福爾摩斯道：「他之所以回來，就是爲了那個戒指。假使我們沒有其他方法捕住這人，還可借重這戒指做誘餌。醫生，我和你打賭，我一定可以捉住他。其實我還應當向你道謝，要不是你，我幾乎要回絕不幹了。要是那樣，我便錯過研究的機會了。我們何不稱這案子爲『血字的研究』呢！偶爾用些炫麗的文辭又何妨。這兇案彷彿有一縷紅絲牽繫著，我們循著這條線，便可達到解釋疑團的目的。現在我們先進午餐，然後再去聽諾曼・聶魯妲的演奏。她所彈的蕭邦名曲非常絕妙，是我最歡喜的。」

接著，這隻老獵狗便仰靠著座位，像雲雀般地歌唱著，而我正默想：「人類的頭腦眞是無所不能啊！」

第五章　廣告的效果

我們早晨的忙碌，已使我的體力不勝負荷，因此下午我覺得疲憊極了。自從福爾摩斯去聽音樂會後，我就打算橫在沙發上小睡一兩個小時。可是這計劃沒有成功。我心中因爲種種的刺激，便被奇怪的幻想和猜測充塞了我的腦袋。我一閉上眼睛，那可怕醜陋的屍體便淸楚地浮在我腦中。因此，我很感激那個兇手，把這樣一個醜東西逐出了世界。假使人們的容貌能夠表示出內心的美醜，那麼，這個被殺的依拿克特·蘭勃無疑一定是個惡人。但法律的公道總要維護的，因爲被害人的惡行，並不能抵消兇手的罪。

我越想越覺得我同伴所成立的假設很不可思議。他說這人是中毒死的，他曾在死人的嘴唇上嗅過，顯然他已查明了什麼，才做那樣的假設。不過若非服毒，屍體上既沒有傷口，也沒有勒痕，這人又是怎樣死的呢？但從另一方面看來，地板上的血又是誰的？那裡既沒有爭鬥的跡象，被害的人也沒有兇器。我想在這種種疑問沒有解決以前，我或福爾摩斯，一定都不能安睡。但瞧福爾摩斯鎭定自信的神態，顯然他對於種種線索都已有了相當的理解，只可惜我一時猜不到罷了。

他回來的時候天色已晚，我們晚餐早已放在桌上。但是我猜他出去這許多時候，決不單純完全消磨在音樂會中。

他在餐桌旁坐下，便說道：「這實在很有趣。你可還記得達爾文對於音樂的見解？他說，遠在人類有語言的能力以前，就具備了創造音樂和欣賞音樂的能力。因此，我們才如此容易受音樂的感動。當這世界尚在混沌的時代，我們的祖先早已有了音樂的本能了。」我答道：「這見解似乎太廣泛了。」

他道：「人們假使要瞭解自然，那麼，理想便應和自然一樣的廣大。咦！怎麼了？你今天不太一樣。是不是這孛力克斯頓路的兇案在你的腦子作祟？」

我道：「老實說當眞如此。我憑著阿富汗戰役的經驗，論理，膽量是夠了。因爲我在莫旺特一役，曾目睹我的同伴們血肉橫飛，而當時我卻一點也不膽怯。」

「我明白了。這件兇案已牽動了你的幻想；假使沒有幻想，自然也沒恐怖了。但你看了今天的晚報了嗎？」我道：「沒有。」

他道：「報中所載的兇案新聞非常簡單，並沒有說到搬移屍體的時候，有一個女子的戒指落在地上。這一點眞是太合我的意思了。」

「爲什麼這一點是你最在意的呢？」

他道：「你先瞧瞧這段廣告，那是我在今晨勘驗現場以後送往各報社登的。」

他邊說，邊將報紙拿給我看。我依他所指的地方瞧去，那是「失物招領欄」中的第一節廣告。

廣告寫著：「在孛力克斯頓路、白哈德街和荷蘭樹林之間，拾到一個純金的戒指。若要領回，可於今晚八點至九點間，到貝克街二二一號B座，向華生醫生接洽。」

福爾摩斯等我瞧完，說道：「請恕我擅用你的名字。假使我自己具名，這些人一定會明白我的用意，那反而壞了事。」

我答道：「無妨。不過假使當眞有人來領戒指，我卻沒法應付。」

他道：「你不用擔心，自然有法子應付的。」說時，他拿了一個戒指給我，又道：「這是仿造的，但一定夠你應付。」

我道：「那麼，你希望什麼人爲了這廣告來呢？」

福爾摩斯道：「就是那個穿棕色外衣和方頭靴的紅臉朋友。假使他自己不來，也會差同黨來的。」

我道：「他難道沒想到這樣太危險？」「不會，我自信我的假設不會有誤。我料定那人寧願冒任何的危險，也不願失去這戒指。照我臆測，那戒指是他俯驗蘭勃的身體時掉下來的。但當時他並沒察覺，直到離屋以後，才發現戒指已失，因而再回去一次。但因他臨走時太大意，沒有吹滅蠟燭，所以引動了警察進去。不過，他既要再次回去，爲避免嫌疑，便假裝成醉漢。現在你易地而處，回想那經過的情形，也許也會以爲那戒指是出屋後掉在馬路上的。若是如此，他將要怎麼樣呢？我想他必會急急翻閱晚報，希望在失物招領欄中得到什麼消息。因此，這一節廣告一進他的眼睛，他勢必歡喜無比。這時他怎麼會疑心是個圈套呢？在他想來，這戒指的發現，和兇案決不會有關係，所以我料他一定會來。大概一小時內，你一定會見到他了。」

我問道：「他來了又怎麼樣呢？」福爾摩斯道：「讓我來對付他，你有武器嗎？」我道：「我有一把軍用的舊式手槍，還有幾粒子彈。」福爾摩斯道：「那麼，你最好把那槍準備一下，要將槍彈裝好。這人必是一個兇猛不怕死的人，我雖想乘他不備時動手，但還是準備一下好了。」

我回到臥室去，照他的話將子彈裝好。等我帶了手槍出來時，餐桌已收拾乾淨，福爾摩斯又在那裡拉他的提琴。

當我走進去時，他問我道：「這案情越來越有眉目了。我剛才接到美國的回電，和我先前所料的完全符合。」我急忙道：「你的見解是什麼？」

他竟道：「我的提琴換了新絃，拉起來更傳神了。你把手槍藏在口袋，等那人來時，你只要隨隨便便和他談話，不要兇狠狠地把他嚇走。別的事有我！」

我瞧瞧我的錶，又看看他，答道：「此刻已八點鐘了。」

「正是，他也許就在這幾分鐘內到來。請

你把門略略打開——這樣剛好。再把那鑰匙插在門上，謝謝你！這是一本奇怪的古書，叫做《各民族的法律》，是我昨天在書攤上買的。當這本棕色皮的書出版時，查理的頭還很堅實地裝在他的脖子上呢！」

我道：「出版者是誰？」福爾摩斯道：「叫做菲利普・克洛義，不知是什麼人。那書的扉頁上有一個褪色黑墨水的字，寫著『戈列米・華愛提藏書』我不知這華愛提是誰，可能是一個十七世紀好管閒事的律師。因爲我瞧他的筆跡有一種類似法官的風格。咦，那個人大概來了！」

當他說時，門上的鈴聲大作。歇洛克・福爾摩斯輕輕地站起，把他的椅子移向房門。我們聽到下面的僕人走過樓梯下的通道，接著又聽到開門的聲音。

這時有一個清晰而粗魯的聲音，問道：「華生住在這裡嗎？」

我們聽不到僕人的回答，只聽見門重新關上的聲音。接著，有人走上樓來，那腳步聲緩慢而模糊。我的同伴一聽，臉上露出驚異的神色。那腳步聲緩緩過了甬道，房門上便有輕微的叩門聲。我高聲應道：「進來！」

我的請進聲剛完，便見進來的人並不像我們預料的是個兇漢，而是一個老態龍鍾的老婦。她初進來時，似因爲室中燦灼的燈光，有些兒眼花。接著略略點頭回禮，便站住了向我們呆瞧。她顫抖的手指放在口袋中，不知在摸索什麼。我轉過去瞧我的同伴，他似乎有點不高興，我無法可施，也只能保持我的常態。那老婦取出一張晚報，指著我們登的廣告。

她又點一點頭，說道：「先生們，我是爲了這事來的。先生是不是在孛力克斯頓路上拾到一個金的結婚戒指？那是我女兒賽蘭的。她結婚才十二個月，她的丈夫是個船員。假使他回來的時候，知道我女兒的結婚戒指已經弄丟，那時他的態度會怎樣，我實不敢去想。他的脾氣很壞，醉後更是可怕。我女兒昨夜去看馬戲團表演，跟她的……」

我接口問道：「就是這一個戒指嗎？」

老婦驚喜道：「謝謝上帝，就是這一個戒指。今夜賽蘭一定會高興得不得了。」

我隨手取起一枝鉛筆，問道：「你的住址在那裡？」

老婦道：「在宏基傑池區，鄧肯街十三號，離這裡很遠呢。」

歇洛克・福爾摩斯忽然冷笑道：「但是，孛力克斯頓路並不在鄧肯街和什麼馬戲團的中間啊？」

那老婦轉著她紅色的小眼睛，凝視著我的同伴。

她道：「這先生問的是我的地址啊！我女兒賽蘭是住在貝克罕區，梅非爾得公寓三號。」

福爾摩斯道：「那麼，你姓什麼？」老婦道：「我姓薩雅。我女兒姓湯尼斯，她的丈夫就叫做湯姆·湯尼斯。他在船上的時候，實在是一個整潔而靈敏的孩子，同伴都和他相處得很好。但一到岸上以後，他就沈湎在女人香和酒國中……」

這時我得到我同伴的暗示，揷口道：「薩雅太太，你的戒指拿回去吧！這本來就是你女兒的東西，我很高興我能把這東西歸還原主。」

那老婦說了許多模糊不清的感謝話，便將戒指包好，放在口袋，轉身下樓去。

福爾摩斯等老婦一出門，便跳起來回到他自己的臥室。數秒鐘後，他已穿了一件長衣，裏著一塊領巾出來。

他急忙道：「她一定是他的同黨。我此刻要跟蹤她，你等著。」

樓下的關門聲才剛剛傳進我的耳朵，福爾摩斯已從樓梯下去。於是我從窗口往下瞧，見那老婦正在對街緩步前進，又見距離她身後不遠處，我的同伴也悄悄地尾隨著。

我自忖道：「如果他的假設沒錯，那就罷了，否則，他此刻不免要走進迷陣中走了。」

他臨行時叫我等他回來，其實即使他不叫我如此，在沒聽到他的結果以前，我也一定是睡不著的。

他出去時已近九點。我不知他要什麼時候才回來，只好坐著吸煙，又拿了一本亨利·墨傑所著的《波海莫傳》，隨便翻了幾頁。十點過後，我聽到女僕們歸睡的腳步聲，到了十一點鐘，那房東太太沈重的腳步聲也從我的門口經過，很顯然她也和女僕們一樣要就寢了。直到十二點左右，我才聽到開門的聲音。我看見他走進來，他的臉色告訴我他此行沒有成功。可是瞧他的神情，彷彿懊惱和喜悅正在他心裡交戰。一會兒，那喜悅似已佔勝，他忍不住縱聲大笑。

他在他的椅子坐下，說道：「這件事無論如何，不能讓蘇格蘭警場裡面的人知道。我一向嘲笑他們，因此他們常不肯讓我知道他們進展的狀況。這一次我竟也和他們一樣徒勞無功。如果傳出去也不免要讓人譏笑了。」我問道：「那麼，究竟是什麼結果？」

他道：「好，我不妨把我自己的失敗小史說給你聽聽。那老婦走了一會兒，便一拐一拐地走，好像腳痛的樣子。然後她站住了，叫了一輛經過的四輪馬車。我本想走近去聽她所說的地點，誰知她說得很大聲，隔著馬路也可以聽見。她對車夫說：『宏基傑池區，鄧肯街十三號。』竟和先前告訴你的一樣，因此我便信以爲眞。等到她上車以後，我就悄悄地攀附在車後，這種技倆是任何偵探都應熟練的，我更自認是很擅長的。我們一路前進，並沒有停過。我在那車子到達以前，輕輕跳下，在街的對面遠瞧。見那車子停下，車夫跳下來開車廂的門，不料竟沒有人出來。我走近去時，那車夫正在那裡發狂似地詛咒，車廂中卻空無一人，分明他的車錢已沒有希望了。我又到十三號屋子去探問，知道住的人名叫肯司衛，是一個規矩的裱糊匠。至於薩雅和湯尼斯的名字，他卻從來沒有聽過。」

我驚異地道：「奇了！你說那個蹣跚龍鍾的老婦，竟能在車子行進的時候跳下，並使你和車夫都沒有覺察嗎？」

福爾摩斯罵道：「哼！龍鍾的老婦！我們倆才是老婦呢！那一定是一個強壯的年輕人，他的喬裝術很高明，也可能是一個傑出的名伶。他一定發現了有人尾隨，因此用這個方法脫身。現在知道我們所要緝捕的人，並非像我所料的是單獨一人，而是有許多同黨在爲他冒險盡力。醫生，我看你已非常疲憊了，現在快睡吧！」

我眞的很疲憊了，就遵從他的話回房。我起身的時候，福爾摩斯仍坐在熊熊的爐火前。我深夜醒來，還聽到憂鬱的提琴聲，知道他還在那裡動腦筋，推索那一個奇怪的問題。

第六章　葛萊生的活動

第二天的各報上，都載滿了孛力克斯頓路奇案的新聞，各報都有很長的描述，有幾份報紙還加上評論。其中有些事我事前也不知道。有關這事件的報導，至今仍保存在我的日記簿裡。現在且節錄一段在下面：

「每日電訊報」的報導：「在罪案史上，實在沒有比這案更離奇的了。被害人用的是德國姓名，目前查無其他被害的原因。因爲牆壁上留下奇怪的字，似乎證明了是出於政治犯和革命黨徒之手。社會黨在美國有不少派別，這位被害的人也許因爲違背了他們不成文的規定，所以黨羽追蹤至此，下此毒手。」此外還列舉了種種已往與社會黨有關的案子。因此，那篇報導的結論是忠告政府，應設法注意一切停留在英國的外國人的活動。

「標準報」則認爲：「這種不法案子之所以時常發生，實因法律過於寬縱的緣故。這種事件突顯出群衆心理的不安，和行政者權力的薄弱。本案死者是一個美國紳士，已在這都會逗留了幾個星期。他本住在康伯衛爾區陶貴里的本蒂太太家裡，他另有一個同伴，就是他的祕書約瑟・史坦格遜。這兩個人在本月四日星期二，向房東太太告別，動身前往伊司登車站，準備搭往利物浦的特快車的。且有人在車站的月台上見過他們，之後他們便下落不明，直到後來，才在孛力克斯頓路的空屋發現蘭勃先生的屍體。那空屋距離伊司登車站有數英哩，他怎麼會到空屋裡去，又怎樣致死？至今還是個疑問。還有史坦格遜究竟到那裡去，也沒有消息。現在蘇格蘭警場的雷斯特拉和葛萊生二位先生已負責偵探此案。一般人都深信這兩位盛名的警探既已著手調查，不久自然有解決希望的。」

「每日新聞報」也說：「這一定是一件政治案。大陸各國的政府因嫉惡自由黨的緣故，不斷地把他們驅逐出去，他們身受刺激，才被迫如此。他們也有嚴厲的規條和信約，假使違反了，便需處死。然而現在最重要的，就是偵查他的祕書史坦格遜的下落，並確悉死者生前有什麼特別的習慣。自從探明了死者生前的地址，案子的進行上已有了大進展。這一方面完全是葛萊生先生的功績，我們實不能不佩服他辦事的敏捷。」

這幾則報導，我是和福爾摩斯一同在早餐席上翻閱的，他讀了似很有趣。

讀畢，他向我道：「我對你說過的，案情無論得到任何發展，居功的終是雷斯特拉和葛萊生二人。」我道：「那還要瞧結局如何才能下定論。」

他道：「絕對不會有錯的。假使兇手捉到，總歸是他們的成績。假使兇手不能捉到，便說他們倆已盡全力了，但實在是不能……。居功的總是這班站在前面的人，背後盡力的卻一再失望。總之，他們無論做什麼，總有人歌功頌德。像法國人說的：『世間的愚人，自有更愚的人稱賞他。』這句話實在說得沒錯。」

那時，我驚訝地道：「聽！這是什麼聲音？」就在這時候，樓下通道中，有一陣雜亂的腳步聲似已上樓而來，其中還夾雜著我們房東太太的埋怨聲。

我的同伴莊容道：「這是偵探機關的貝克街分隊。」說時，六個人衝進室來。那些人都是齷齪、衣衫襤褸的小孩，我實在很少瞧見。

福爾摩斯厲聲喝道：「立正！」於是這六個小流氓立刻都像石像般地站住。福爾摩斯繼續道：「以後你們讓韋金斯一個人上來報告就好了，其他的人可在街上等候。韋金斯，你已找到了嗎？」

其中有一個少年答道：「先生，我們還沒有找到。」

福爾摩斯道：「我也料你還沒找到，但你還需繼續找。這是你們的工錢。」說著，他給每人一個先令，又道：「現在去吧！下次你要有一個更好的回報。」

他揮一揮手，這些小孩便紛紛退下，真像一群小老鼠一般。不一會兒，便聽到他們喧鬧的聲音已到了街上。

福爾摩斯說道：「這些小乞丐們一個人的工作成績，比官方警探的還要好。人們一見到警方的人，大半就都閉上嘴。這些小孩卻到處可去，什麼都可以打聽得到，並且他們很機靈，就像針尖那麼鋒利，很好差用。他們所缺少的只是組織罷了。」

我問道：「你是爲了孛力克斯頓路的案子，才特地雇用他們嗎？」

「是啊，因爲有一個疑點，我打算先證實明白。這不過是時間的問題罷了。你瞧，葛萊生已從對街來了。唉，我們可以聽到一些新的消息了，肯定帶著報復性的！他臉上寫滿了心中的得意，我料想他是來見我們的。啊，他當真來了！」

這時門鈴大作，數秒鐘後，那美髮的偵探

已三級一步地走上樓來。

他一進了我們的起居室，便緊緊握著福爾摩斯冰冷的手，嘴裡呼道：「我的朋友，你該恭喜我！我已將這案子弄得像曉日一般明亮了。」

我見我同伴的臉上微露出一種急切的神情，問道：「你說你已找到正確辦案方向了？」

「當然！先生，我已把這個人捉住了！」「他叫什麼名字？」

葛萊生搓著他的兩隻肥手，答道：「他的名字叫奧瑟．查本蒂。是我們英國皇家海軍的一個少尉。」

福爾摩斯吐了一口氣，似略覺放心了些，微笑著說道：「你請坐，試一試這種雪茄。我們很願意知道這件事怎樣辦成功的。你要先飲一杯加水的威士忌嗎？」

那偵探答道：「飲一杯也無妨。這兩天特別勞累，實在讓我疲憊得快受不了了。其實我體力的勞動還少，但我的腦力卻激盪過度了。福爾摩斯先生，你一定贊成我的話，因我們倆都是用腦的人啊！」

福爾摩斯莊容道：「那你過分稱許我了。請你說，你怎樣得到這個奇妙的答案的。」

葛萊生坐在扶手椅上，很得意地噴著他的雪茄煙，忽然又拍了一下自己的大腿，似表示他的得意。

他說道：「最有趣的就是雷斯特拉那個笨蛋，他自作聰明，實際上卻走上了歧路。他努力追蹤那個祕書史坦格遜。其實他對於這件兇案，就像一個未出生的孩子一般，和此案絲毫一點關係也沒有。我料他此刻必已把那個祕書捉住了。」

葛萊生在這一點上得意至極，縱聲大笑，幾乎氣塞。

福爾摩斯又問道：「但你怎麼得到你的線索的呢？」

葛萊生答道：「好，我仔細說給你聽。華生醫生，這件事只有我們自己人可以知道。我想你也明白的，案中惟一的難點，就是怎樣查明這美國人過去的歷史。有些人或許會登一個廣告，等別的人來報告。但這不是我葛萊生辦事的方式。你們可還記得屍體旁邊的那頂帽子？」

福爾摩斯答道：「記得。那是從康伯衞爾路二二九號，恩特荷父子商店裡買的。」

葛萊生似覺詫異，道：「想不到你也瞧得如此仔細。但你曾到那裡去過嗎？」「沒有。」

葛萊生得意道：「哈！這一點線索看來雖然很小，但你實在不應忽略。」

福爾摩斯道：「在偉大的人眼中，絕對沒有覺得太小而不値得注意的事情。」

葛萊生道：「沒錯。我也到恩特荷商店去過。問他們是否曾賣出一頂如此大小和樣式的帽子，他們在帳簿上查了一查，查出那帽子是一個蘭勃先生買的。他們曾將帽子送到陶貴里，查本蒂屋子的蘭勃那裡。因此，我才得到他的住址。」

福爾摩斯喃喃自語道：「聰明——確實很聰明的！」

葛萊生繼續道：「第二步我就去見查本蒂本人，我發現他的臉色蒼白，心事重重。她有一個女兒，長得很美，當時也在旁邊。我見那女孩子的眼睛紅腫，當我和她說話的時候，她的嘴唇微微地顫抖——這一點也沒有逃過我的眼睛。於是我便打起精神，像一隻捕鼠的貓一般。歇洛克．福爾摩斯先生，你知道當你查得了一條眞確線索的時候，神經上會有怎樣的感覺。當時我問道：『你們可聽說你們的房客蘭勃先生慘死的事？』查本蒂太太點了點頭，似乎說不出話，那女兒卻流出淚來。我因此愈覺得這二人對這事必有所知。我又問道：『那天蘭勃先生什麼時候從你們這裡出去乘火車的？』那婦人嚥了一口唾沫，似遏制她的驚恐，答道：『八點鐘出去的。他的秘書史坦格遜先生曾說有兩班火車，一班九點十五分，一班十一點鐘，他是坐第一班火車的。』我又問道：『那麼，你們最後一次見到他，可就是他從這裡出去的時候？』我一問這句，那婦人的臉色突然大變。她的臉頓時變成青鉛色，過了好幾秒，方才答出『正是』二字，並且那聲音也勉強得很。接著沈默了一會兒，那女兒忽用一種清晰而平靜的聲音，說道：『母親，說假話沒有用的，我們不妨和這位先生開誠布公。我們之後還見過蘭勃先生的。』查本蒂太太忽兩手一舉，俯靠在椅背上，呼道：『上帝啊！你已謀殺你哥哥了！』那少女仍很堅定地答道：『奧瑟一定也希望我們說實話的。』這時我乘機道：『你們索性向我完全說明白了吧！這樣呑呑吐吐，比不說更糟。並且你們也不知我們所知道的已到怎樣的程度，你們若還想再隱藏，事實上是辦不到了。』她的母親說道：『愛麗絲，你準備承當吧！』說時，又回頭向我道：『先生，我將全部過程告訴你。第一，請你不要疑心我驚恐的態度，這是因爲我擔心我的兒子和這件慘案有牽連。但他是絕對沒有關係的，我只怕在我先生和別人的眼中，都認爲他有關係，其實，他決不會幹這樣的事。他高節的品格、他的職業，和他清白的家世都足以制止他有這種舉動。』我答道：『你最好把這裡面的事實完全說明。假使你兒子當眞沒罪，法律決不會讓他吃虧。』婦人道：『愛麗絲，你先出去，讓我們倆談話。』她的女兒果眞應聲走出。婦人繼續道：『先生，我本來不想把這件事告訴你，但我的女兒旣已說破，我也不能再隱瞞。現在我照實陳說，決不會有一句遺漏。』我道：『這樣才是聰明了。』查本蒂太太道：『蘭勃先生住在我們這裡約有三星期了。他和他的祕書史坦格遜先生正在歐洲大陸旅行。我看見他們的皮箱上黏著哥本哈根的行李票，可見他們到這裡以前，曾在哥本哈根待過。史坦格遜是一個安靜而穩重的人；但他的雇主卻恰好相反，他很兇惡，舉動也很粗魯。他到這裡的第一夜，喝得酩酊大醉，直到第二天十二點鐘都還沒有清醒。他對待女僕們的行爲非常隨便，不久後他竟以同樣的態度對待我的女兒愛麗絲。好幾次對她說無禮的話，幸虧我女兒年幼天眞不懂。有一次，他竟張臂將她抱住，因這舉動，連他的祕書也不禁斥責他失禮。』我問道：『但夫人爲什麼甘心忍受呢？我想假使你不願收留你的房客，當然可以教他出去的。』查本蒂太太聽了我這句話，臉上紅了一陣。她道：『若照我的本意，他進來的第一天，就要通知他搬出去的。但這裡面有一種超大的引誘力：他們每天每人付一金鎊的租金，一個星期就有十四金鎊。況且這時候又不景氣，除了他們，我實在不容易找別的租戶。我又是一個寡婦，我的兒子在海軍服役，我還須供給他。我因爲不肯喪失這一筆租金，就勉強容忍下來。

後來實在受不了，才通知他搬走。這就是他搬離我家的原因。』我問道：『以後怎麼樣呢？』婦人繼續道：『我見他離去以後，心裡才放下了一塊石頭。那時我兒子恰好放假回家，但我並不打算把這些情形告訴他，因爲他的性子很暴烈，又很疼愛他的妹妹，他知道了恐怕會鬧出事來。誰知他們去後還不到一個小時，門鈴忽響，蘭勃先生又回來了。他的眼神很渙散，顯然又喝醉了。那時我和我的女兒在一起。他闖進室來，他說因爲火車已開，來不及動身。接著，就當我的面，叫愛麗絲和他一塊兒走。他道：『你已成年了，沒有法律可以阻止你。我有很多錢可供你揮霍。你不必管這個老婦人，跟我一塊兒去吧。以後你的生活，儘可像公主一般的享受。』那時可憐的愛麗絲嚇得慌忙逃走，但他卻一把將她的手捉住，要拉她出去。我不禁大聲叫喊，在這時候，我兒子奧瑟走進屋裡來。以後的情形如何，我不知道，因爲我不敢抬起頭來，只聽見一陣爭鬥聲。後來我抬頭瞧時，見奧瑟站在門口笑著，手中執著一根手杖，他說道：「我想這一個好朋友再也不會來纏擾我們了。我現在跟他去，瞧他還有什麼舉動。」說完這話，就取了帽子從屋中出去。到了第二天早晨，我們便聽到蘭勃先生的死訊了。』這就是查本蒂太太親口說的話。她說的時候，哽咽停頓了好幾次，有時語調很低，我幾乎聽不清楚。我已用速記法將她的話記下，應該不會有錯誤。」

歇洛克．福爾摩斯打了一個呵欠，說道：「這席話確實很動聽。之後呢？」

葛萊生接著說：「我聽完了查本蒂太太的話，便覺得這件案子的重心完全歸結在一個要點。我於是定著目光瞧她，我這種瞧法，在婦人身上往往有效。我隨後就問，她的兒子後來什麼時候才回家。她答道：『我不知道。』我道：『不知道？』她道：『我實在不知道。他有一個前門的鑰匙，自己可以開門進來。』我道：『那麼，他回來的時候是在你上床以後？』她道：『正是。』我道：『你什麼時候睡覺的？』她道：『大約十一點鐘。』我道：『那麼，你兒子出去至少有兩個鐘頭？』她道：『是。』我道：『也有可能過四個或五個鐘頭？』她道：『也有可能的。』我道：『你可知他在這幾個鐘頭中幹些什麼事？』她答道：『我不知道。』這時連她的嘴唇都泛白了。我問到這裡，已知不必多言，之後我就查到了查本蒂少尉的行蹤，帶了兩個警察去將他捉住。當我的手拍在他的肩上，警告他安靜地跟我們走時，他忽大聲答道：『我想你們抓我，想必就爲了我牽涉蘭勃流氓慘死的事吧？』當時我們還沒向他說起這一回事，他卻先招認，這不是一個最大的疑點嗎？」福爾摩斯答道：「的確很可疑。」

葛萊生又道：「我們抓他的時候，他手中仍執著一根粗重的手杖，那就是他母親說的，當初帶了去跟蹤蘭勃的那根手杖。我瞧那手杖是橡木做的，木質非常堅硬。」

「那麼，你現在有什麼見解呢？」「我認爲查本蒂少尉跟在蘭勃背後，一直到孛力克斯頓路，那時他們才爭吵了起來，查本蒂舉起他的手杖在特蘭勃的心窩上擊了一下，故蘭勃雖受擊而死，卻沒有留下什麼跡象。那晚既是雨天，路上又沒有人，所以查本蒂就將屍體拖進空屋裡去。至於屋中的蠟燭，地板上的血，牆壁上的血字和戒指等等，無非是故設疑跡，要叫警察們的偵查走錯方向罷了。」

福爾摩斯鼓勵地道：「很好，葛萊生，你眞有進步。我們希望你未來能成功。」

葛萊生很得意地答道：「我自問這件事幹得還爽快。至於那少年供稱，他跟在蘭勃後面，走了一會兒，蘭勃便已覺察，於是就跳上一部馬車，避開他的跟蹤。他只好折回，在路上遇見一個船上的同伴，就一塊兒閒步了好久。但問他那個同伴住在那裡，他又回答不出。我覺得這件事的謎團已解，只是那可笑的雷斯特拉，此刻卻走進了迷途，我想他決不會有什麼成就。咦，他竟來了！」

這時果見雷斯特拉推門進來。平日從他的舉止和態度上都可看出他的自信和驕傲，此刻卻都不見了。他臉上滿現著困擾和紛亂的神色，衣服也汚穢不整。他分明是來向福爾摩斯商量什麼的，但一見他的同事在屋內，頓時顯出不安的樣子，似乎想改變主意。他站在屋子的中央，手中弄著他的帽子，正不知所措。

最後他說道：「這實在是一件特別的案子——一件不可思議的奇案！」

葛萊生很得意地呼道：「雷斯特拉先生，你覺得這案子不可思議嗎？我早料你會有這種評斷。你找到那個祕書史坦格遜了嗎？」

雷斯特拉莊容道：「那祕書史坦格遜，已在今天早晨六點鐘被人謀殺，刺死在赫列台旅館了。」

第七章　黑暗中之光

雷斯特拉所告知的消息，相當出人意料之外，使我們三個人頓時啞口無言。葛萊生從椅子上跳起時，竟將他面前剩留的加水威士忌打翻。我也靜默地瞧著歇洛克・福爾摩斯，只見他的嘴唇緊閉，兩道眉毛也攢蹙在一起。

他喃喃自語道：「史坦格遜也死了！案情有了變化了！」

雷斯特拉取過一把椅子，嘴裡嘰咕著道：「這案子本來已很複雜！我此刻就像置身在戰事會議裡面，竟然無從著手。」

葛萊生結巴地問道：「你——你這消息可確實？」

雷斯特拉答道：「我剛從他的旅館回來。我還是第一個發現這事情的人。」

福爾摩斯道：「我們正在聽葛萊生講述對於這案子的見解。你可以將你所見所做的事告訴我們嗎？」

雷斯特拉坐了下來，說道：「可以。老實說，我起先以爲史坦格遜一定和蘭勃的死有關係。但這新的發現，已證明我先前的假設是錯誤的。當時我抱定了這種假設，就竭力偵查那個祕書的下落。當日晚上八點半，有人見他們倆一塊兒出現在伊司登車站，到了半夜兩點鐘，蘭勃的屍體，便被發現在孛力克斯頓路的空屋中。因此，我覺得有兩個疑點，應當查究。那就是八點半之後，到兇案被發現之間，史坦格遜在什麼地方？而以後他又到那裡去？所以我拍了電報到利物浦，說明他的相貌，並叫他們留心檢查開往美國的輪船。接著我又往伊司登車站附近的各旅館和私人寓所裡去探問，因我料定他既已和蘭勃分開，勢必要在附近耽擱一夜，等第二天早晨再往車站。」

福爾摩斯道：「他們分開以前，也許預先約定一個會面的地點。」

雷斯特拉道：「你的話沒錯。我昨天費了一個黃昏四處查問，毫無所得。今天我起得很早，八點鐘時，到了小喬治街的海列台旅館。我問他們是否有一個史坦格遜先生住在裡面，他們竟一口回答有的。他們道：『他在這裡住了兩天了，正在等一個人來。你大概就是他所等候的人了。』我含糊應道：『正是，他此刻在那裡？』他們道：『他還在樓上睡呢！他叫我們九點鐘時去叫他。』我聽了這話，正暗自高興，心想，我突然上去見他，他一時不防，也許可被我套出幾句話。於是我便跟著旅館侍者到樓上。到了二樓，經過了一條狹小的通道，那侍者朝一扇門指了一指後，就打算轉身下樓。這時，有一種景象讓我覺得有異樣，雖然我有二十多年的辦案經歷，此時竟也不能自持。因爲在那房門下面有一道血水流出，像一條紅帶子，彎彎曲曲地匯在一處。我不禁喊了一聲，那侍者便停住了回頭。他見了門下的血流，也幾乎嚇暈過去。屋子的門從裡面鎖住，我們以肩膀用力撞，打開了進去。見室中的窗開著，窗邊有一個穿睡衣的人蜷曲著不動，他的手足已經僵冷，顯然已死了很久。當我們把他的身體翻轉過來時，那侍者便認出這人就是名叫史坦格遜的房客。他左邊胸膛有一個很深的刀痕，已深及心臟，這是他致死的原因。還有最奇怪的一點，你們猜那死者的臉上有什麼東西？」

我聽了這節故事，全身起了雞皮疙瘩。但福爾摩斯卻仍鎮靜地回答：「一定又是用血寫的『Rache』一字。」

雷斯特拉驚訝道：「正是這字！」說完，我們都寂靜無聲。

我暗想這兇手不知是何等人物，舉動竟如此熟練而不可思議，實不能不使人驚駭。我是經歷過戰場生活的人，神經已算很堅強了，可是想起這件案子，也不免震悚。

雷斯特拉繼續道：「那兇手有人見過的。有一個送牛奶的孩子從旅館後面的小巷子經過，他看見有一個平時常橫在地上的梯子，那時卻豎了起來，和二樓洞開的小窗口接著。他走過以後，又回頭瞧了一瞧，竟瞧見一個人正從梯上下來。那人下梯時的態度相當從容，那孩子想，他也許是旅館中的木匠或其他工人，故不以爲奇，心中只是暗忖，這個工人上工得似乎早了些。據那孩子描述，那個人身材高大，臉色赤紅，身上穿著一件棕色的外衣。那人行兇以後，還在室中耽擱過一陣子，因爲我們在洗臉盆中，見有血水，分明他曾在盆中洗過手的，此外，被單上還另有抹拭兇刀的痕跡。

我聽完那兇手的外貌，竟和福爾摩斯所料的相同。於是斜目看著他，但他臉上卻並沒有得意的樣子。

福爾摩斯問道：「有沒有發現任何可以捉緝兇手的線索。」

雷斯特拉答道：「沒有。我們在史坦格遜袋中查到蘭勃的錢包，但這也不足爲奇，因爲他們旅行時的費用都是由史坦格遜負責支付的。錢包裡有八十多鎊現款，並無遺失的跡象。

因此，這兩件奇案的目的可說都不是爲了盜劫。死者的衣袋中除了一張電報以外，沒有其他文件或紀錄等東西。那張電報是在一個月前從美國克利夫蘭發的，信中只有一句：『J·H·在歐洲』，但上下都沒有署名。」

福爾摩斯問道：「此外沒有別的東西了嗎？」

「已沒有重要的東西了。床上有一本小說，似乎是史坦格遜在臨睡前讀的。他身旁的椅子上有一個煙斗，桌子上有一杯水，窗檻上有一個小藥箱，裡面有兩粒藥丸。」

歇洛克·福爾摩斯從椅子上跳起，嘴裡發出驚喜的叫聲。

他喜呼道：「這就是最後的一個環節！我的案子已完成了。」

那兩個偵探都驚訝地瞧著他。

我的同伴很自信地說道：「這案子中種種複雜的線索此刻都在我手中了。雖然有許多小節還待補充，但自蘭勃和史坦格遜從車站分開起，直到史坦格遜的屍體被發現爲止，這裡面種種重要的事實我都已明瞭，就像我親眼見到一般。我可以證明給你們看的。雷斯特拉先生，你可以把那粒藥丸拿來嗎？」

雷斯特拉道：「在我這裡。」他邊說邊拿出一個白色的小箱子，又道：「我把這兩粒藥丸、錢包和電報都已取出，打算帶到警局去，放置在一個安全的地方。但我當時並沒發現藥丸的重要性，故而我此刻一併取出，眞是非常巧合。」

福爾摩斯道：「好，現在請拿給我。」又回頭向我道：「醫生，你瞧，這是一顆尋常的藥丸嗎？」

那藥丸當眞不是尋常的藥，圓形、灰色，並且很小，放在光亮之處，差不多是透明的。

我道：「從這藥丸這麼輕且透明瞧來，我想它放在水裡能立刻溶化。」

福爾摩斯答道：「一定是的。現在可否請你下去把那隻可憐的小獵狗捉上來。這狗病了很久，昨天我們的女僕還請你把他弄死，以免牠痛苦。你記得吧？」

我依言走下樓去，捉了那狗上樓。那狗的眼光疲弱，呼吸也很短促，表示他不可能再久活了。我見那狗的鼻子雪白，知道以狗的平均壽命推算，牠算是長壽的了。我把那狗放在地毯的墊子上面。

福爾摩斯說道：「我要將一粒藥丸分爲二。」說時，拿出萬用刀來分割，又道：「這一半再放進箱內，預備將來使用。一半放在這玻璃杯裡，加入一茶匙水。各位請看，我的老友的見解是沒錯的。那藥丸確實很容易溶化。」

雷斯特拉帶著一種懷疑和譏笑的神情，說道：「這也許很有趣。但我不知道和史坦格遜先生的死有什麼關係呢？」

「耐性些，我的朋友，耐性些！你等一下就知道有關係了。現在我再加些牛乳進去，以便引起狗的食慾，讓牠自己舐進去。」

他邊說邊把玻璃杯內的東西倒在一個淺盤中，又將盤子移到狗的面前，不一會牠已完全舐乾。我們瞧福爾摩斯的樣子全神貫注，我們也都靜靜地瞧那狗的變化。但過了一會兒，並無任何異狀，那狗仍躺在墊上，短促的呼吸和先前一樣，很顯然他雖吃了那半粒藥丸，卻毫無影響。

福爾摩斯將錶取在手中，時間一分一秒地

過去，卻不見有什麼效果。他的臉上露出煩躁和失望的表情。他咬著嘴唇，手指在桌上輕敲著，顯示他的不耐。我見了這種情形，心中著實替他不安，但那兩個偵探，卻都含著笑容，不因這結果而失望。

最後，福爾摩斯在室中踱了一圈，喃喃自語道：「這決不會只是偶然的事。我起先就懷疑蘭勃是中了毒，而在史坦格遜死後，又發現這兩粒藥丸，這難道只是偶然巧合？而這丸藥又遲遲不見效果，那又是什麼意思？我自問我一系列的推理，不會有錯誤的！我相信一定不會！但是這狗為何又沒有動靜？哈，有了！有了！」他歡呼了一聲，又奔到藥箱旁邊，把另一粒藥照樣切平，溶化了加入牛乳，照樣餵狗。那可憐的狗，舌頭剛在盆上舐了一下，四條腿馬上痙攣，好像被電到一般，一刹那間便倒地而死。

歇洛克·福爾摩斯呼了一口長氣，又抹著他額角上的汗珠。

他道：「我的自信心實在應該更堅強些！現在我知道，如果有一件事實，和我所推斷的設想有衝突之處，那必是其他方面還有不妥當的地方。那箱中的兩粒藥丸，形狀雖同，但一粒是烈性的毒藥，一粒卻毫無毒害。我本應當在瞧見這藥箱以前，就先想到這一點。」

我聽了他的這一番話，有點驚訝，覺得他的話眞是狂妄。但見了那隻死狗，又覺他的揣測已經證實。於是我腦海中的迷霧逐漸散開，漸漸領會案中的眞相了。

福爾摩斯繼續道：「這些事你們似乎都很詫異。這是因為你們著手的時候，對於案中重要的線索不曾注意，我卻僥倖取得。以後種種的事實和我先前的假設也都相互吻合。原本那種種使你們覺得迷亂和讓案情越發模糊的事物，在我看來卻都足以證實案情。一般人都把奇怪和神祕混爲一談，這其實是錯誤的。越是平常的案子，往往卻是神祕的，因爲沒有新鮮和特殊的事可做推究的資料。假使這件兇殺案的屍體是在路旁被發現的，也沒有那種種奇特的情節，也許會比眼前的更難解決。因此，許多奇怪的情節，在表面上似乎使案情愈加困難複雜，其實卻反使這案子更容易解決。」

葛萊生道：「福爾摩斯先生，現在不必多說了。我們早已承認你是一個聰明人，並且你在辦事的時候，有你自己的方法。但現在我們所需要的似乎不在理論和演說，我們的目的是要抓到案中的兇手。我原先的見解，此刻看來已是錯誤，因爲查本蒂那傢伙勢不會與史坦格遜案有關了。雷斯特拉預想中的兇手是史坦格遜，現在很明顯地他也錯了。你在這件案上，已指示我們不少要點，你所知道的似乎比我們更多。此刻已到了緊要的關頭，我們不能不直接問你，你對於此案究竟有多少把握？你能夠說出那兇手的名字嗎？」

雷斯特拉也說道：「先生，葛萊生這幾句話，我也贊成。我們二人已努力過，卻都失敗。自從我進來以後，已聽你說過好幾次，你對於案中的證跡已完全明白。現在我想你不致於要再堅守祕密了吧。」

我也附和道：「假使不早點把那兇手捉住，也許會讓他有另行作惡的機會，那實在不是上策。」

福爾摩斯被我們三個這樣一逼，顯出躊躇的樣子。他繼續在室中踱來踱去，他低著頭，眉毛也緊皺在一起，這就是他深思時的樣子。

最後，他停了下來，轉向我們說道：「我敢說決不會再有謀殺的事發生了，這一點我可以保證。你們問我是否知道那兇手的名字，我知道的。但比起如何逮捕那個兇手，姓名只能算是個小問題了。我希望不久就可把這人捉住。不過這件事要謹愼處理，因爲那個人非常狡獪兇險，而且另有一個像他一般敏慧的人保護著他，所以很難對付。他目前還不知道已有人掌握了兇案的線索，我們還有機會可以逮捕他，假使他一生疑心，那他勢必隱姓埋名，躲入在這四百萬居民的大城市之中，到時就更難著手了。我不是要冒犯你們，但這兩個人實在不是官家偵探能夠對付的，因此，我不曾請你們相助。假使我也失敗，那我自然要負不曾請教你們的責任，但我早已準備好了。現在我答應你們，我一等到可以通告你們，而不致阻礙我計劃的時候，我一定會通報你們的。」

葛萊生和雷斯特拉二人，聽了這一番輕視警探的言論，都覺得不滿。葛萊生滿臉通紅，一直紅到他的耳根；雷斯特拉張著他的小眼，露出一種驚訝怨恨的神情。可是不等到這兩個人開口，門上已有叩門聲，原來那街上小流氓的代表韋金斯已推門進來。

他把手舉到額角行禮，說道：「我已教那馬車在樓下等候了。」

福爾摩斯點頭道：「好孩子！」接著，他從抽屜中取出一副手銬，又向二位偵探道：「你們爲什麼不把這種樣式的手銬介紹到蘇格蘭警場裡呢？瞧，這彈簧多麼靈活，只須輕輕一觸，立刻就可鎖上。」

雷斯特拉道：「我們只需捉得到人，那舊

式的手銬也儘夠用了。」

福爾摩斯笑道：「好，好。韋金斯，你叫那車夫上來幫我把那箱子拿下去。」

我暗自詫異，聽我同伴的話，似乎他要出遠門了，但他卻從不曾提起過。室中只有一個小皮箱，他取了出來，用皮帶裹紮著。他正在忙著裹皮箱的時候，那車夫已走進室來。

福爾摩斯俯跪在皮箱前面，沒有回頭，只說道：「車夫，你來幫我扣一扣帶子。」那車夫慢慢走過去，似不很願意，他走到皮箱邊，正伸手幫忙扣那皮帶。此時，忽聽見鏘的一聲，接著福爾摩斯已站起身來。

他兩眼烱烱有神，大聲道：「先生們，現在我爲你們介紹。這是傑弗生．霍波先生，也就是殺死依拿克特．蘭勃和約瑟．史坦格遜二人的兇手！」

這種變化之快速，竟使我沒有思索的機會。我此刻腦中還清楚留著當時的情景：福爾摩斯揚聲得意，那車夫野蠻的臉上露出一種驚訝的表情。他瞧著腕上的手銬，似還搞不清是用什麼幻術套上去的。而我們也像石像一樣呆立了一二秒鐘。不一會兒，那犯人大吼一聲，掙脫了福爾摩斯的手，向窗口奔去。窗口上的木框和玻璃霎時都被他打壞。但他的身體還沒有鑽出去，葛萊生、雷斯特拉和福爾摩斯便像一群獵狗般地奔上去。他們把那人拖到室中，但他還是極力抵抗。我們四個人合力想把他制服，但好幾次都被他擊退，足見他蠻力之大。他的臉和兩手因爲被玻璃割傷，流了很多血，但並不因此減少他的蠻力。直到雷斯特拉伸手扯住他的領巾，扼住他的咽喉，使他透不過氣來，他才體認到他的掙扎終歸無用，於是稍爲

他還竭力抵抗

安靜一些。但我們仍然不放心，把他的手腳緊緊綁住，這時大家才站起來喘口息。

歇洛克·福爾摩斯說道：「他的馬車在下面，此刻正好派上用場，送他到蘇格蘭警場去吧。」接著，微微一笑，又向那二位偵探道：「先生們，現在這件小小的疑案已結束了。你們無論要問什麼，我都歡迎的。」

下卷

第一章　沙漠中的旅客

在北美洲的中部橫亙著一塊乾燥而荒寂的沙漠，這沙漠始終是文化發展的阻礙。從內華達山脈起，至內布拉斯加爲止，其間北自黃石河，南至科羅拉多，完全是一個荒涼而寂寞的區域。在這境內，自然界的景觀也不盡相同。有皚皚白頂的高山，幽暗陰沈的山谷，還有在峽谷間奔竄的急流。更有廣漠的平原，冬天平原上一片白雪，到了夏天，卻又披滿了含鹽質的灰色沙塵。種種不同的景觀，卻有一個共同的特性——那就是荒涼與蕭瑟。

在這絕望的境地內，是沒有居民的。只有邦尼斯人或黑足人偶爾會前往別的獵場，才打從這沙漠上經過。即使是這班最勇敢的人，也不願多待在這可怖的平原，都急忙地經過，以便早日到達他們居留慣的草原。只有叢草中的山狗、天空中展翅翱翔的巨鵰、不時在大石中覓取食物，往來於山谷中的巨熊，才是曠野中惟一的居民。

全世界勢不會再有比西利亞卡蘭卡北麓更荒涼的地方了。目光所及，盡是被鹽質沙塵所掩覆的廣大荒地，其間夾雜叢叢的矮樹參差排列。地平線的盡頭橫著長鍊似的峰巒，頂上都覆蓋著積雪。在這裡，實在瞧不見任何生物，也沒有和生物有關的任何東西。鐵靑色的天空，灰色而陰暗的地面，皆無活動的生物。總而言之，盡是一片靜寂。即使斂神傾聽，在這荒僻的世界依然聽不到任何聲響，這裡實在是一點聲音也沒有，只有一片沈沈的死寂。

但若眞說這遼闊的平原上，完全沒有和生物有關的東西。卻也不完全實在，若從西利亞卡蘭卡往山下瞧，便可瞧見沙漠中有一條小路，彎彎曲曲，直至遠處而沒。這小路似乎是被車輪和冒險家的足跡踐踏而成的。遠處還有白色的東西，在太陽下閃閃發光，這些東西在鹽質的沙塵中，顯得相當特殊。如果你走近去仔細一瞧，原來都是骨頭！有些很粗大，有些卻很細小，粗大的是屬於牛的，細小的則是人骨。在這一千五百哩中，都可沿著這些遺骸而前進，這遺骸不用說，都是從前倒下的人留下來的。

一八四七年的五月四日，在這個區域，有一個孤單的旅客從山上下望這個地方。他的出現眞像是這絕境裡的神靈鬼物。從他的外表實在不容易看出他的年齡，大概已近四十或六十歲。他的臉瘦而憔悴，羊皮似的棕色皮膚，緊綳在那突出的顴骨上，他長而棕色的髮鬚，已長出斑白的顏色，眼窩深陷，露出不自然的眼光，還有他那執著來福槍的手，比起那骷髏的手也未必有更多的肉。他站在那裡，用槍支著身體。看他魁偉的體格，足見他本是一個壯健的人，但此時他瘦削的臉和破碎的衣服，都表示他身體很衰弱。看來這個人因爲飢渴交迫，已將要死了。

他從那山谷裡出來，勉強走到高處，希望瞧見什麼水源，卻還是失望了。一片鹽質的荒原展現在他的面前，遠處又是野山環接，絲毫不見一棵樹木或植物，可見那地方實在完全沒有水源了。他張著眼睛向北、東、西三面瞭望了一番，才知他的行程已到盡頭。這枯寂的山地大概就是他的葬身之地了！

他接著坐在一塊大石的陰影處，自言自語道：「就死在這裡也好，這和二十年後死在羽褥床上，有什麼不同？」

他坐下的時候，先把來福槍放下，又把他背在右肩上的一個灰色大包袱放了下來。這包袱似乎很重，他的力量已承擔不住了，他放下來時，包袱砰的一聲直落在地上。霎時間從那灰色包包傳來一陣哭聲，接著從包袱中露出一個受驚的小臉，張著棕色的明眸，同時還伸出兩個有淺渦的小手。

那孩子抱怨道：「你弄痛我了。」

那人很抱歉地道：「是嗎？抱歉，我不是故意的。」

他說話的時候，一邊將灰色的包裹打開，抱出一個美麗的小女孩來。那孩子大約五歲，整潔的鞋子，身上粉紅色的衣服，和白麻布的圍兜，都可看出她的母親對她的愛護。孩子的臉色也很焦黃，但瞧她壯健的手足，可以知道她受苦的情形，並不像她的同伴那麼嚴重。

他見她仍用手撫著她滿被金髮的後顱，於是很急切地問道：「現在怎麼樣了？」

那孩子把傷處指給他瞧，認眞地道：「你在這裡吻一下，也許可以好些，我母親從前常這樣的。我母親到那裡去了？」「你母親已經走了，但我想你不久就可見到她了。」

女孩子道：「走了？很奇怪，她怎麼沒有跟我說『再見』。從前她到姑母家，總會向我說的。現在她卻已走了三天了。唉，你不覺得渴嗎？難道這裡沒有水和吃的東西了？」

「沒有，親愛的。這裡實在一點吃的都沒有了。你只需略略忍耐一下，以後就會習慣了。你把你的頭靠在我身上，那就會覺得好些。我的嘴唇乾得像皮革一般，說話有點吃力了。我還是把現在的情形告訴你吧！咦？你手裡有什麼東西？」

那女孩子舉著兩小塊發光的白石，呼道：「是好東西！好東西！我們回家時，我要把這東西給我的哥哥鮑伯。」

那人懇切地道：「你待會兒便可以瞧見比這更好的東西了。你且先停一下，我要告訴你了。你還記得我們離開那條河時的情形嗎？」

「記得。」

「那時我們本打算走往另一條河道，可是不知是羅盤或地圖弄錯了，或是有其他的錯誤，竟到達不了。所以我們的飲水斷絕了，只剩下一點點，留給像你這樣的孩子們飲用。並且——並且——」

那女孩子插口道：「並且連洗澡都不能洗了。」說時，她瞧著他同伴骯髒的臉孔。

他答道：「不但不能洗澡，連喝的水都沒有。於是朋特先生第一個走了，接著，印第安人彼得、梅葛利高和霍納斯太太等，都相繼而去。最後，就輪到你的母親了。」

那女孩子忽用手掩著她的臉，哭泣道：「那麼，我母親也死了嗎？」

「是啊，他們都走了，只剩你和我二人。我以為這裡也許可以找到些水，所以背著你走到這裡。誰知我們的希望落空，現在我們只有一絲的機會了！」

那女孩子停止了悲泣，張著淚眼，瞧著她

同伴的臉問道：「你是說我們也要死了嗎？」

「我想大概快要了。」

「你起先為什麼不說？」她說時忽然轉泣為笑，又道：「你讓我吃了一驚，我們死了就可以又和母親在一塊兒了。」「親愛的，正是，你就可以見到你的母親了。」

「你也可以見到她了。我要告訴她，你待我很好。我想她一定在天堂門口迎接我們，那時她手裡必提著一大壺水，還有許多我和鮑伯喜歡吃的兩面烘黃的麥餅。但我們要在什麼時候死呢？」「我不知道，但不會太久了。」

那男子的眼睛朝北面的地平線處瞧著，見那藍色的天空下面有三個小點漸近漸大，似乎進行得極快。不一會兒，便見那是三隻棕色的大鳥，這些鳥在那二人頭上打了一個旋，便停在他們頭頂的大石上面。這就是巨鵰，也就是西部所稱的禿鷹。這種鳥可算是死神的先鋒。

那女孩子指著巨鵰，拍手把牠們驚起，笑道：「公雞和母雞。」又問道：「這地方可也是上帝創造的嗎？」

那人聽了這意外的問題，似微微一驚，答道：「當然是的。」

那孩子繼續道：「他創造的伊利諾和密蘇里卻不是這樣。我想這地方應該是別的人造的。這裡造得沒有像我們那裡好，他們竟忘記了水和樹木。」那人疑遲道：「你為什麼不想禱告呢？」她答道：「天還沒有暗哩！」

「那不要緊。我們雖不按照時間，上帝也不會在意的。我們在平原上時，你每夜在車中所祈禱的，此刻再背誦一遍。」

那孩子張著詫異的眼睛，問道：「但你自己為什麼不禱告呢？」

他答道：「我已經忘記了。自從我的身體長得像槍一般高時，便不再禱告。但現在再祈禱想必還不算晚。你唸出來，我可以附著你一同祈禱。」

她把她的肩巾鋪在地上，說道：「那麼，你要跪下來，我也要跪的。你的手還要像這樣子舉起來，這樣才有誠意。」

這是一種奇怪的景象，但除了那三隻巨鵰以外，竟沒有人瞧見。他們在那狹窄的肩巾上並列跪著，一個是婉美的小女孩，一個是粗壯的冒險家。她白圓的小臉，和他憔悴嚴肅的黑臉，都向著無雲的天空仰望著，誠心懇求那個他們將要見面的神。那孩子的聲音清脆而細弱，她同伴的語調則是低沈而沙啞。這兩種聲音混合著一起祈求上帝的慈悲和赦免。他們禱告完畢以後，又坐到那巨石的陰影處，直到那孩子倦極入睡，伏在她的保護人寬闊的胸膛之中。他瞧著她的睡姿好久好久，似乎想盡到保護之責，但終究抵擋不了大自然的力量，因爲他三天三夜不曾休息過，這時他再也不能支持了。他的眼皮漸漸地合上，頭也逐漸向胸膛下垂，他斑白的鬍鬚和那女孩子金黃的細髮混合在一起，於是這兩個人便一塊兒沈沈地睡去。

假使這旅人能夠再保持清醒半個小時，他便會看到一種奇怪的景象。在那鹽質平原的盡頭，忽有一陣沙塵飛揚。起先那股沙塵還小，遠遠地還瞧不清楚，後來竟越飛越高。飛揚的面積也越來越廣，最後那沙塵竟變成一團濃霧，這霧團逐漸擴大，直到距離較近，才知道這一定是被什麼大群的動物揚起來的。這若是在豐沃的地方，瞧見的人一定會以爲來的一定是一群野牛，要到那裡去吃草的，但這裡是乾枯的荒野，所以當然是不可能了。等到這沙塵的旋渦迫近那二人休息的小山時，才清楚看見原來那是大車上帆布的幕帳，和一群帶著武器騎著馬的人，原來這是一大隊往西部去的旅人。啊，眞是壯觀的篷車隊！爲首的人已到了那邊的山腳下面，殿後的人卻還遠在地平線外。這時平原上蜿蜒著大車、小車，和騎馬或步行的男子，還有無數婦女背著包袱，緩步前進，孩子們或在車旁隨行，或從車幕中探頭瞭望。這不像是尋常遷地的移民，比較像是遊牧民族受了什麼困難的逼迫，而想另尋一個新天地的樣子。那時空中混雜著許多雜亂的聲音，其中還有馬嘶和車輪軋軋之聲，可是喧吵聲雖大，卻還不足以驚醒那兩個疲倦熟睡的旅人。

在那旅行隊的前面，有二十多個神情嚴肅的人，他們的裝束嚴整，手中都執著來福槍。到了那大石下面，便停止了腳步，簡單地討論了一下。

其中一個厚唇灰髮、剛剃過臉的人說道：「弟兄們，井應該在右邊。」

另一人道：「右邊是西利亞卡蘭卡。這樣，我們會到葛崙第去了。」

第三人道：「你們不要怕沒水，我們的神既能從石中取水，此刻決不會放棄他自己的選民的。」

前隊的人都同聲應道：「阿們！阿們！」他們正要重新上路的時候，有一個年紀最輕，眼光最靈的人，忽然指著他們上面的巖石，發出驚呼。原來那巖石頂上有一個淺紅色的衣角在風中飄動，因爲那灰色巨石的襯托，越發顯得那衣色的鮮明。他們一見這狀，立刻把韁繩扣住，又將背上的槍拿下，同時後面有許多騎士也趕過來支援。那時每一個人嘴裡，都不斷呼著「紅人」。

有一個年老像領袖樣子的人，說道：「這裡不會有印第安人了。我們已通過了邦尼斯人的境地，所以在越過那大山以前，不會再看到別的紅種人。」

隊中有一人問道：「史坦格遜弟兄，我可以上前去瞧瞧嗎？」

同時有十多人附和道：「我們也去！我們也去！」

那長者答道：「好，你們把馬留在下面，我們在這裡等你們。」

於是那些少年騎士都下了馬，把馬拴住，立即從小山坡上向那衣角所在的高處奔去。他們進行時迅疾無聲，顯然他們刺探的技術很熟練。那下面平原上的人，瞧見他們從一塊一塊的大石上接爬上去，不久，已爬到聳在天空中的高頂上。那第一個發現的人在前引導，忽然，他的同伴們見他兩手一舉，似十分驚訝的樣子。於是他們走到了引導人的身旁，可是當他們，眼睛接觸了前面的東西，竟也不禁做出同樣的表情。

在那小山頂上，有一塊巨石孤峙，有一個高大的人靠在這塊大石旁躺著。那人面目粗陋，下巴和兩頰被滿長髯，十分消瘦。那時從他沈靜的面容，和有次序的呼吸看來，顯然正在熟睡。他旁邊躺著一個小孩子，白色小臂勾在他棕色粗糙的頸上，金色的頭髮覆在他胸口的絨衣上面。她玫瑰色的嘴唇開而未合，露出兩行雪白而整齊的牙齒，臉上還帶快樂的微笑。她圓白的小腿，穿著白襪和整潔的鞋子，鞋上銅鈕閃閃發光。瞧她的打扮，和她的萎枯而高大的同伴相比，實在覺得不相襯。在他們倆上面的大尖石頂上，站著三隻禿鷹，這時一見許多人來，便都失望地叫了幾聲，拍翼飛去。

巨鳥的叫聲把那兩個熟睡的人驚醒了。他們張眼一瞧，不禁十分驚愕。那男子勉強支著站起身來，向下面的平原瞧去。因為當他合眼睡覺時，本是荒寂無人，此刻卻聚集了一大群人和牲畜，他臉上露出一種疑惑的神色，舉起他骨瘦似柴的手，按在他的眼睛上面。

他自言自語道：「我想這就是他們所說的精神錯亂了。」那孩子站在他的旁邊，拉著他的衣角，默默無語，只張著她驚疑的小眼，向左右瞧來瞧去。

那班救援的人們，一眨眼已到他們的近邊，他們才知道所見的景物並非幻象。有一個人把那女孩子抱起，將她掮在肩上，另有二人把她的同伴扶起，一塊兒下山向車輛處走去。

那孤零的男子自己解釋道：「我叫約翰・費里亞，我和這個孩子是從二十一個人中存活下來的。他們都因飢渴的緣故，死在南方了。」

有一人問道：「她是你的孩子嗎？」約翰・費里亞答道：「我想現在她是我的了。因為她是我救起來的，自然應當屬於我，決沒有人可從我手中帶走。從今天起，她叫做露西・費里亞。但你們是什麼人呢？」他說時以好奇的眼光瞧著那一班健壯、膚色黝黑，救助他們的人，又道：「你們的人數很多呢！」

一個少年答道：「我們將近有萬人。我們是被逼迫的上帝的兒女——也是摩洛尼天使的選民。」

約翰・費里亞道：「我不曾聽過這天使的名字，但他的確選了一群壯美的人。」

另一人嚴肅道：「不要對聖人不敬。我們都是相信聖經的人——埃及文寫在金葉片上，在邁米拉傳授給聖者約瑟·史密斯。我們是從伊利諾州的諾福城來的，在那裡有我們自己建造的教堂，但現在我們要在那兇暴的人的境外，尋一個落腳的地方，就算是在這沙漠的中心，也是心甘情願。」

「諾福城」似乎讓約翰·費里亞想起了什麼。他道：「我明白了，你們是摩門教徒。」那一群人同聲應道：「我們是摩門教徒。」費里亞道：「那麼，你們要往那裡去呢？」「我們不知道。上帝的手正藉著我們的先知，引導我們前進。你應當到我們的先知面前去，他會說明怎樣處置你。」

這時他們早已到了小山腳下。於是那一大群教徒都會集過來，有些是灰白臉的老人，有些是狀貌溫柔的女子，也有嬉笑壯健的孩子和目光誠懇的男子。這些人見了那一老一小，都發出驚奇和憐惜的聲音。但那些保護他們的人，並未停步，仍領著他們行進。那一大群教徒便跟在後面，直到一部大車的面前，方才停止。那車的外觀很美，車前有六匹馬拉著，其他的車輛只有兩匹，至多也只四匹馬。在那御者的旁邊，有一個男子坐著，他的年紀還不到三十，但他巨大的頭顱和堅毅的神情，都顯示出他是一個領袖。他拿著一本棕色書皮的書誦讀，等到那一大群人走近來時，便將書放在一旁，斂神聽他們報告。最後，他就回頭看著那兩個困頓的落難人。

他莊嚴地說道：「假使我們帶著你們一塊兒走，你們就必須信從我們的教義。須知我們的羊圈中是容不得狼的。與其任你們變成腐爛的斑點來損壞我全部的果子，那我還不如現在就讓你們的屍骸暴露在這曠野之中。你願意接受我們的條件嗎？」

費里亞道：「我願意接受你們的任何條件。」他說話的聲音非常用力，讓那些莊嚴的老人都露出了微笑，但那領袖仍獨自保持他肅穆無動的態度。他道：「史坦格遜弟兄，你把他留下吧。給他些食物和飲料，那孩子也一樣。你還須負責把我們的教規告訴他，我們耽擱好久了，前進！往鄔城去！」

於是一大群摩門教徒，也附和著呼道：「往鄔城去！」這一種聲浪一個一個接續著傳呼下去，直傳到遠處，變爲模糊的聲音爲止。不一會，車輪軋軋地發出聲音，車隊繼續前進，一大群人於是重新上路。那受託的人，便把那兩個落難人領到他自己的車上，車中早已爲他們預備了食物。

那受託的人道：「你可以留在這裡，數天以後，你就會恢復你的精神。但你必須記得你以後永遠是我們教中的人了。普瑞格．楊格已說得很清楚了，他的話是憑著約瑟．史密斯的聲音說的，這聲音也就是上帝的聲音。」

第二章　猶他之花

本書對於摩門教徒到達他們終點以前的艱苦情形並不詳細記載。他們從密西西比河岸起，直到洛磯山的西邊，其中所經歷的艱難，和他們始終保持的恆心，實在是歷史上所少有的。野人、野獸、飢渴、疾病、困疲，和世界上所有的一切艱難，都被盎格魯·薩克遜人的毅力所戰勝。但在路上所經歷的種種恐怖，也不免令他們最剛強的人減少了幾分雄心。所以當他們見了那陽光普照、廣闊的猶他山谷，又聽他們的領袖說，那就是神所允許的地點，那綿延的廣田，以後將永屬他們，於是沒有一個人不跪在地上，虔誠地作出感謝的禱告。

楊格不但是一個果斷的領袖，也是一個多才多藝的行政者。他立即畫成了地圖和屋圖，預備在這裡建築一個城市。四周的田畝，都按照比例分給每一個教徒，商人們仍經營他們的商業，工人們也照樣盡他們的本分。不多久，新城市的街道和廣場，便次第告成，宛如憑著魔術造成的一般。鄉間一切的工作，如通溝道、編籬界，和下種、墾荒等等，也都井井有條，因此到第二年的夏天，便見處處都是結實纍纍的金黃色麥田。在這移民區內，一切都興旺發達，而他們在城市中心，正在興建的那座大教堂，也一天天高聳起來。每天從黎明到深夜，從教堂傳來的鋸斧之聲，始終沒有斷過。因爲這一班遷徙的教徒，爲了感念上帝帶領他們脫離無數危險，到達平安的境界，所以便熱誠地爲祂建造一座紀念物。

那兩個落難人約翰・費里亞，和他的繼女，也跟著這班摩門教徒，一同到了他們行程的終點。小露西・費里亞在長老史坦格遜的車上，很受人喜歡。車上還有史坦格遜的三個妻子，和一個十二歲的兒子。露西因爲母親已死亡，很孤單，這時便和那三個婦人膩在一起。不久，她也習慣這樣飄泊無定，帳幕爲家的生活了。費里亞休息了一陣子，也回復了健康，表現出他自己是一個有用的嚮導和獵人，沒有多久，他也獲得同伴們的敬重。所以等到到達他們行程的終點時，教徒們便一致贊成，除了領袖楊格和四個長老——就是老史坦格遜、根鮑爾、約翰司登、蘭勃——以外，約翰・費里亞應當得到一塊比別的教徒們更廣大的田畝。

費里亞就在他得到的這塊田地上，建築了一間木屋，以後更是逐年地增添，那屋子便漸漸變成一所別墅。他本就是一個智力豐富的人，手藝也精巧，所以處事非常有條理。他憑著強健的體魄，自早至晚在他的田間工作。因此之故，他的田畝特別興盛，不出三年，他已超過了他的鄰居；六年以後，他就很富裕了；到了第九年，他更成了富翁；直到十二年後，整個猶他鹽湖城中，比得上他的財力的沒有超過五六人。那時從內地的大海起，直到距離很遠的夏薩杞山爲止，已沒有人比約翰・費里亞更有名氣。

但有一件事情，他竟與教內的人互相衝突，無論怎樣勸告威脅，教他依照他同伴們的方式，娶一個妻子，卻始終沒有效果。他也並不說明他拒絕的理由，只是始終保持著他堅決無動的意志。因此，有些人說他對於他所信奉的宗教並無熱誠；也有人說他是爲了貪愛財富，捨不得破費，更有一班人說他以前一定有過一番戀愛，也許有一個長髮的女郎在大西洋的彼岸爲他含悲而死。但無論什麼理由，費里亞仍始終緘默。除了這一點以外，他對於新移民區上的宗教活動仍是奉行不懈，並得到了正確守規的好名譽。

露西．費里亞在那木屋中成長，也協助她義父所擔負的一切工作。山上淸鮮的空氣和松林間馥郁的香氣，就像慈母般撫育這個女孩。這樣一年一年過去，她越發出落得標緻大方，她的面頰嬌紅，行步也越見輕盈。有許多人經過費里亞的田畝時，看見了露西苗條的體態在麥田中微步往來，或見她騎在父親的馬上，都一致認爲她是一個端莊優雅的美女。也不禁令人回想起當年的情境，當時的蓓蕾，此刻已綻放成一朵美麗的花。這幾年來，她的父親成了農民中最富有的人，同時她也長成了太平洋沿岸難得瞧見的美女。

但露西從小孩轉變爲女人，她的父親卻不是第一個覺察的人。這種情形往往是如此，因爲女孩子逐漸的變化彷彿很神祕，不能憑時日計量，事實上則連她自己也不知道。直到聽見了綿綿的情話，或與情人的手指接觸，而使她芳心震動起來，她才會產生一種驕傲和驚恐的感情，知道有一種更大的力量，已從她的內心中滋長起來了，世界上很少有人會不記得在他們年少的時候，因著某種細小的事情，覺察到這種力量的魔力。這種年少時的情境，往往留在腦海裡面，不能磨滅。先不管露西．費里亞的特殊身分，對她未來的命運有何影響，和其它方面的種種關係究竟如何，就是眼前的情形，已是很嚴重了。

一天，是六月裡溫暖的早晨，那些教徒們忙著工作，就像成群的蜜蜂一般，田間和街上都充滿著人們工作的聲音。灰塵滿飛的大道上，那些負物的騾子，絡繹不絕如流水般地朝著西部前進。原來那時候，加利福尼亞州的採金熱已經開始，因此好多人都要從這新城經過。更有一群群的牛羊，從遠處的草地上來，也有經過長途跋涉，極度困頓的行人和馬。在這群衆雜遝的路上，露西・費里亞常逞著她馳騁的長技，揮鞭急駛而過。她秀麗的臉頰，因運動而越顯嬌紅，棕色的秀髮也在背後順風飄揚。那時她受了她父親的交待，馳馬進城。她往往憑著少年無畏的精神，只想到她的任務要怎樣完成，其他便一切都不顧。那些行路的人見她經過，都目送呆瞧，就是連那些不露感情的印第安人，運著皮毛在大路經過時，一見了這美麗的女子，也都不禁鬆弛了呆板的面容，暗暗驚歎。

她到了離城不遠的地方，忽被大路上的一大群牛擋住，無法通行。她因爲不能忍耐，便策馬驅進牛群間的一個空隙，打算通過這個障礙。可是才剛進去，還沒有穿過牛群，她突然發現，她被無數長角的牛群圍住。她平日是和牛群相處慣的，所以雖處在這個情況之中，仍不覺驚懼，她策馬前進，希望穿到前面。不幸有一隻牛的角，不知是有意或偶然，抵刺了馬腹一下，那馬便發狂般地驚躍起來。牠前足揚起，身體不停地晃動，若不是精於騎術的人，這時候早從馬背上墜下。這情景眞是危險極了！那馬每跳動一次，便多受一次牛角的抵觸，因此，牠咆哮得更厲害，萬一失手墜落在這群畜獸的亂蹄下，不用說，必死無疑。這種意外的驚變是她從沒有經歷過，因此，她覺得頭部昏眩，兩手似也無力握持，此外由於亂蹄的跳躍，揚起了濃厚的灰塵，又有一陣陣從動物身上發出來的熱氣，都使她不能忍受。可是當她絕望準備放棄的時候，忽聽見身旁有一個親切的聲音，便知道有救星來了。一隻強有力的棕色的手伸過來，把馬口的銜鐵捉住，隨即把她從牛群中拖出去。

那個救她的人很有禮貌地說道：「小姐，你可有受傷？」

她仰頭向那人粗獷的臉上瞧一瞧，吃吃笑道：「我是嚇了一跳。但誰想得到這馬兒竟會被那一群牛驚嚇成那樣？」

那人很誠懇地說道：「謝謝上帝！幸好你抱住馬鞍。」那人是一個高大粗獷的少年，騎在一隻栗色的壯馬上，身上穿著粗布的獵衣，有一支長來福槍掛在他的肩上。他又道：「我想你是約翰·費里亞的女兒，我見你從他的屋子裡騎馬出來的。你見到他時，可否問他是否還記得聖路易的傑弗生·霍波。如果他就是這個費里亞，那麼他就是那個從前和我父親交情密切的那位長輩。」她正色道：「那麼，你儘可自己去問問的。」

那少年聽了這話，似很樂意，他黑色的眼中露出得意的光彩。

他道：「我一定會來的。我們在山上已經兩個月，所以不曾拜訪他。他見了我們，一定會招待我們的。」

她答道：「他一定會重謝你呢！我也應當謝你。因爲他是非常疼我的，假使剛才那些牛把我踩死了，他不知要怎樣悲傷哩。」

她的同伴說道：「我也會的。」「你？但我

卻不覺得與你有什麼相干，你還不是我的朋友呢。」

那年輕獵人黝黑的臉上顯出一種失望的神色，露西・費里亞卻又縱聲大笑。

她道：「啊，我的意思不是這樣，你現在當然是我的朋友了。你應到我們家裡來瞧瞧我們。現在我不能多耽擱了，否則，以後我父親不肯再把事情交給我了。再會吧！」

他答道：「再會。」說時，拿下他的闊邊帽子，低下頭去吻她的小手。她把馬旋了一個轉身，揚鞭一揮，馬便朝著沙塵滾滾的大道中馳去。

少年傑弗生・霍波也騎著馬和同伴們重新上路，臉上帶著憂鬱。他和他的同伴們在內華達山脈中找尋銀礦，那時已找到了幾處礦苗，所以此刻回到鹽湖城來，打算集結一些開採的資本。他辦事本來是很機敏的，但這時因爲這一件小小的意外，忽把他全部的思緒引進了另一條道路上。他一見這美麗的女郎，天眞純潔，彷彿西伯利亞山頭的春風一般，於是他的心房深處已像火山似的爆熱起來。他目送她至不見以後，便覺得他的生命已到了一個轉捩點。他似覺採銀礦的事業，或其他的種種問題，都沒有這個新發現的問題來得重要。他心中所產生的愛苗，並不是像少年的幻想般忽生忽滅，容易變動的，而是一種堅強意志的人所有的狂熱的愛。他生平所做的事情，幾乎都是成功的。因此他暗自發誓，假使能力和恆心能夠做成一件事，那麼，他對於這個新發生的問題，也決不願失敗放棄。

那天晚上，他就到約翰・費里亞屋裡去拜訪，之後更時常往來，不久那少年的面容，當地佃農們便個個都熟視。約翰在過去的十二年中深居在山谷中，孜孜於他的工作，對於外間的事情很少有接觸的機會。傑弗生．霍波便常把外面的事情說給他聽，他和他的女兒露西都聽得津津有味。霍波是最早到加利福尼亞的人，因此對於那地方發財和喪產的傳聞都很熟悉，說起來更是生動。他又曾做過軍隊的斥候、獵戶、探採銀礦的人，及農場的首領，凡有什麼冒險的事情，傑弗生．霍波都曾參與經歷過的。因此，沒有多久，他已得到了老農的歡心，老人也常稱讚他的品行。每逢他們談話的時候，露西始終默坐傾聽，瞧她緋紅的臉頰，明亮含笑的眼波，便可知她的芳心已不再屬她自己。這些徵象，她樸實的父親並無察覺，但在那少年眼中，卻再也不會錯過。他知道他已贏得了她的芳心了。

那是一個夏天的晚上，霍波騎了馬從大路上來，直到門前才停住。露西恰在門口，她便走出來迎接他，他把韁繩繫在籬上，急忙向小徑上走去。

他握著她的兩手，眼睛瞧著她的臉，說道：「露西，我要走了。我現在還不能叫你同我一塊兒去。但我再回到這裡來時，你可願意和我一塊兒走？」

她紅著臉，笑著問道：「那麼，你再來是什麼時候呢？」「也許再兩個月吧！親愛的，那時我就要來娶你了。我知道我們之間，是沒有人能阻隔的。」

她問道：「那麼，我父親呢？」「沒有問題。他已經答應我了，只要我們的銀礦成功便可以了。」

她低聲道：「那就好。你既和我父親約定

了，那當然不必多說。」說時，便將她的粉頰俯貼在他的寬廣的胸膛上。

他低下頭去，吻了她一下，溫柔地說道：「謝謝上帝！這事就這麼決定了。此刻我在這裡多耽擱一會兒，便越加難以離別。他們都在山谷等我，再會！親愛的！再會！兩個月後，我們就可以相見了。」他邊說邊從她手裡脫身，跨上了馬背，向前疾馳而去，毫不回頭，似乎他若回頭來瞧一下子，就會因爲不忍分離的緣故，把他堅強的意志打消。露西仍站在門口，瞧著他遠去，漸漸消失，她才進屋子去，那時她心中樂不可言，她已成了猶他州中最快樂的女子了。

第三章 約翰・費里亞和先知的談話

自從傑弗生・霍波和他的同伴們離開了鹽湖城後，轉眼已三星期了，約翰・費里亞心中很鬱鬱不樂，深恐那少年回來的時候，便要失去他的義女。但瞧露西臉上卻充滿了愉快的神情，他也就不再堅持。因爲他曾私下決定，無論如何，決不讓他的女兒嫁給一個摩門教徒。他對於摩門教中這一條一夫多妻的教規，常堅持著不肯屈服。雖然如此，這想法他只能深祕不宣，因爲在那時候，凡居留在聖地上的人，如果有違反教規的言論，那是很危險的。

這眞的是很危險的事！即使那些資格很高的教徒，偶然對教規有什麼意見，也只敢暗中附耳說一兩句話，因爲惟恐他們的話被傳出，便不免要有一場嚴酷的懲罰。這班從前被逼迫的教徒，現在卻成了逼迫人家的人了，而且逼迫的情形更特殊且厲害。就是塞維爾的叛教罰條、日耳曼古代的叛教律、義大利的祕密黨會等，雖然罰條上已都很嚴厲，但比起摩門教規的嚴格，卻還相差得很遠。

那些處罰的方法，大半都在不知不覺中實施，因此讓人覺得神祕可怖。懲罰來臨時往往令人意想不到，因此，讓人覺得那刑法像是無所不在一般。假使有人反對教義，往往會忽然失蹤，既無下落，又不知有什麼遭遇，他的妻子兒女，鎭日在家盼望，但他們的父親或丈夫卻已不能會回來把他祕密受苦的情形告訴他們了。假使有一句話失言，或僅是粗心的舉動，也難逃嚴刑。但又不知道那刑罰到底是什麼，也不知操權的是誰，只覺得那無形的禍患隨時隨地懸掛在他們頭上。因此大家心中都惴惴不安，雖在曠野無人之處，也不敢發一句懷疑或怨懟的話。

起初，這種恐怖的懲罰只施在叛教和私懷異心的人身上。可是不久，這懲罰的範圍便逐漸擴展了。那時因一夫多妻的緣故，成年的婦女便有不敷供給的情形，因此，在教義的實行上未免有發生阻礙之憂。於是奇怪的謠言便四處流佈，或說旅人被人謀殺；或說連在印第安人所不能到的區域內，行帳也有被擊奪的消息；同時摩門教長老的內室裡，也往往可發現陌生婦女的嚶嚶啜泣，她們臉上都顯出不勝恐懼的樣子。據有些從山上逃下來的人說，山間有許多戴面具執兇器的匪黨，常悄悄匿伏在隱僻的地方，乘隙襲擊人。這些謠傳一次一次經人證實，他們才知道那些都是確實的事實，不是無稽的謠言了，直到現在，在西部的偏僻地區，一說起「談尼特黨」和「復仇天使」，人家還當做不祥的惡兆。

當時多數人民在確知有這一班祕密組織，和他們兇殘的手段之後，心中便越發危懼不安，但又不知道隸屬這惡黨的人究竟是誰。他們的組織喋血行兇，卻拿宗教做幌子，而且始終祕密不宣。你心中有什麼對於先知不滿的想法，私下告訴你的朋友，誰知這個朋友，也許就是在晚上明火執刀，到你家裡來實施刑罰的人。因此之故，每一個人就是對於他的鄰居，也都像仇敵一般畏懼，心中雖有意見，也斷不敢從嘴裡宣露出來。

一天早晨，約翰．費里亞剛要往他的麥田裡去，忽聽見前門的門閂有開動的聲音，他從窗中望去，見一個黃髮健碩的中年人正要從小徑進來。約翰一見，心頭不禁一驚，原來進來的人就是先知普瑞格·楊格。約翰明知這個人來拜訪決不是好事，但他仍急忙奔到門口迎接這位摩門教的領袖。楊格冷冷地回了一個禮，便板著臉走到起居室。

他坐定以後，銳利的眼光瞧著那老農說道：「費里亞弟兄，那些眞誠的信徒待你很好。我們在荒野中把你救了出來，那時你差點餓斃，我們卻將食物分給你，後來領你到了這個上帝選定的山谷，把許多的田給你，又在我們的保護之下使你掙得了好多的財產。我說的這些是不是眞的？」約翰·費里亞答道：「都是眞的。」

「在這種種情形之下，我們所要求你報答的只有一件事，就是你必須遵守我們的教規。這一點你當初就已答應的，但是如果那些報告都屬實，你對於這一點卻已經忽略了。」

約翰·費里亞伸著兩手，答辯道：「我忽略了什麼呢？我沒有納捐？沒有往教堂去禮拜？沒有……」

楊格向左右瞧了一瞧，問道：「你的妻子們在那裡呢？你把她們叫進屋來，我要見見她們。」

費里亞答道：「這一點倒是眞的，我沒有娶妻。但此刻女人已經不多了，並且弟兄中未娶的還很多，在情勢上，他們的需要比我更大。我也不是一個寂寞的人，因爲我有女兒可以侍奉我的。」

那摩門教的領袖道：「我就是爲了你的女兒而來的。她已長大成人了，也可算是猶他之花，現在有許多德高望重的人看上她了。」

約翰·費里亞不禁暗暗歎了一聲。

楊格道:「外面有很多流言,說你的女兒已和異教人訂婚。這當然是無恥人的無稽之談,我不會相信。你可記得約瑟·史密斯的第十三條教規是怎樣說的:『每一個信徒的童女,應當嫁給神的選民,因爲假使嫁了異教徒,那就犯了大罪。』誡條既然如此,你又是信服聖教的人,於情勢上你當然不會讓你自己的女兒破壞這規條的。」

約翰·費里亞不答,但他顫抖的手卻不停地玩弄他的馬鞭。

楊格又道:「從這一點,便可以測驗你對聖教的忠心了。因爲我們的四聖會議已經把這事議定好。這女孩還値青春年華,我們做長老的各已有了不少妻子,但我們的孩子們都還可以娶妻。史坦格遜和蘭勃二人各有一個兒子,他們倆都很希望把你的女兒娶到他們家裡去。現在就讓她在這兩人之中選擇一個吧!這兩個人都很年輕又有錢,對於聖教也很忠實,你覺得如何呢?」

費里亞靜默了一會兒,但他的眉毛卻已緊蹙在一起。

最後,他答道:「請你寬限我們一些時候。我女兒年紀很輕,這時實在還不是成婚的年齡。」

楊格站起身來說道:「她可以有一個月的選擇限期,等限期到了以後,她就必須答覆我們了。」

他走出去時,到了門口,忽又回轉頭過來,臉色紅漲,眼露兇光。

他厲聲道:「約翰·費里亞,我認爲你此刻若想憑著你薄弱的意志反抗四聖的命令,那還不如當年把你和你的女兒暴屍在西利亞卡蘭卡山上來的好些。」

說時，又舉手做出一種恐嚇的姿勢，方才轉身出去。費里亞聽見他從石徑上經過的腳步聲非常沈重。

費里亞把他的手肘支在膝上，扶頭尋思這事應該怎樣解決，他的女兒忽然走來，伸著柔軟的小手按在他的肩上。他抬起頭來，便瞧見她正站在面前。他見她臉色灰白而驚恐，可見他和那先知的談話，她都已聽見了。

她一見父親的眼光，立即會意，答道：「我不是故意竊聽的，他的聲音實在充滿了全屋。唉，父親！父親！我們應當怎麼辦呢？」

約翰．費里亞將她拉近身旁，又舉起他粗闊的手掌在她栗色的髮上撫了一會兒，答道：「你不要害怕，我們一定可以想出法子解決的。你對於你所心愛的少年可也有不滿之處？」

露西不答話，只是緊握著老人的手，哭了起來。

「我想你不會有不滿意的地方。他是一個很可愛的孩子，並且是一個基督徒，光就這一點，已勝過那專重表面祈禱講經的摩門教徒。明天有一班人要往內華達去，我可以寫一封信給他，把我們的情形告訴他。我想，這少年得信以後，一定會像電報一樣迅速地趕回來了。」

露西聽她的父親說到這裡，才破涕爲笑。她說道：「他回來以後，一定會幫我們想出一個萬全的方法。不過我很替你擔心，我常聽說許多可怕的消息，凡反對先知的人，都有嚴酷的懲罰。」

她父親道：「但目前我們還沒有違抗他，還不用害怕。等到我們違反的時候，我們已另覓助力。現在有一個月的期限，等到期限結束，我想我們早不在猶他了。」她道：「要離開猶他嗎？」「應該如此。」「但那些田畝怎麼辦呢？」「我們盡量變賣成現款，賣不完的，也只能放棄。露西，我老實告訴你，我不是第一次有這種念頭了。我生平最不喜歡懾伏在任何人之下，像那班教徒們敬佩那先知的樣子，我更難以忍受。我是一個自由的美國人，對這種情形實在不能習慣，大概我年紀太老，已不能學習禮制了。我想假使他到我田裡來撒野，那他也許也要吃一粒射獸的子彈了！」

露西道：「但他們不會放我們離去的。」

「我們先等傑弗生到來，然後再計畫一切。眼前你不要煩憂，也不要讓你的眼睛紅腫，否則，他見了你這種樣子，也許又要進來見我了。總之，目前並無危險，你實在不必害怕。」

約翰·費里亞說這幾句安慰話的時候，似很堅定，可是到了晚上，露西卻又見他把門戶一一鎖住，比平時更加注意，並把他臥室中掛著的一支老舊的槍取下來整刷一遍，並把子彈裝上。

第四章　逃命

約翰·費里亞在和摩門教徒先知會面後的第二天早晨，就往鹽湖城去，在那裡，他找到了那個要往內華達山去的朋友，於是把那封要給傑弗生·霍波的信託他轉交。信中告訴他情況危急，並叫他立刻回來。這一件事辦妥以後，約翰的心中便覺得輕鬆些兒，立即安然回家。

當他回到自己的屋子門前時，卻吃了一驚。原來他門口的兩根柱子上，各繫著一隻馬。他走到裡面後更驚訝，他見兩個少年坐在他的起居室中。其中一個臉長而灰白，坐在一張搖椅上，兩隻腳擱在火爐上面；還有一個少年，頭頸像牛一般粗大，臉孔也十分粗野，站在窗口，兩手插在口袋中，口中唱著流行歌。兩個人見費里亞進去，都點了點頭。坐在搖椅上的那一個先開口說話。

他道：「你也許還不認識我們。他是蘭勃長老的兒子；我是約瑟·史坦格遜。他們當時在沙漠中遇見你，因為上帝的指點，把你引進我們安全的羊圈裡來，又和你從沙漠中一塊兒到此地來。」

另一個少年從鼻子發出聲音說道：「上帝不但引你進來，將來也必把天涯萬國的人都引進正道；就像磨石子一樣，雖遲緩，卻精密沒有遺漏的。」

約翰·費里亞冷冷地鞠了一個躬，因他已知道這兩個來客是什麼樣的人。

史坦格遜繼續道：「我們都是奉了我們父親之命來的。準備請求牽你女兒的玉手，並請你和你女兒決定，我們兩個人中究竟那一個合你們的意。我只有四個妻子，蘭勃弟兄卻已有了七個，因此，我的需要實在比他更大。」

那個蘭勃大聲道：「不，不，不，史坦格遜弟兄，這問題不在於我們已經擁有多少妻子，而是在我們的能力足以蓄養多少。我的父親現在已經把他的磨坊給我，所以我現在其實比你更有錢哩。」

史坦格遜忙道：「但我的未來比你更好。等到上帝把我父親召回去時，我就可以得到他的製革廠和硝皮場。那時我就要做你的長老，在教會中地位也比你高。」

蘭勃在對面的鏡子照了照自己的面容，答道：「這一點還是讓那女子決定吧。我們不必爭論，全聽她的選擇了。」

當這兩個少年爭辯的時候，約翰・費里亞站在門口，幾乎忍不住要用他手中的馬鞭鞭向那兩個來客的背。

最後，他走到他們面前，說道：「聽著！等到我的女兒傳喚你們，你們才可來此，但在傳喚以前，我不願意再見你們的臉。」

那兩個年輕的摩門教徒十分驚訝。在他們心裡認爲，他們競爭著要娶這個女郎爲妻，實在是對於女郎和女郎父親的無上榮幸。

費里亞大聲道：「這屋子有兩個出路，一個是門，一條是窗。你們走那一條呢？」

這時，他棕色的臉顯得很兇狠。他兩隻巨大的手也像要動武的樣子。因此，竟使那兩個來客不得不急忙站起來退出。那老農也跟他們走到門口。

他譏笑道：「如果你們決定好了誰做我的女婿，再通知我一聲。」

史坦格遜變色大怒，厲聲道：「你必會爲這件事付出相當的代價！你竟敢蔑視先知和四聖會議，這一次你必要悔恨到死的。」

蘭勃也呼道：「上帝一定會重重處罰你。他能夠讓你生，也能夠讓你死。」

費里亞也怒聲道：「那麼，我也會給你們吃些兒苦頭。」說時，他奔上樓去。那時假使沒有露西伸手把他抱住，他的槍早已到手。等到他從露西手裡脫身出來，那馬蹄聲音已告訴他，他們已走得很遠。

老人抹著他額上的汗水，大聲道：「這兩個可惡的流氓！孩子，我寧可見你躺進墓穴裡去，也不忍見你做他們倆任何一人的妻子。」

她也振奮了精神，答道：「父親，我也寧願如此，我的想法也是這樣。不過，傑弗生不久就會回來了。」

「正是，想必不久就可到了。但是愈快愈好，我不知道他們接下來的舉動會怎樣。」

這時，老人和他義女的處境的確很危險，假使有什麼足以幫助老人的力量，確應愈快愈好。因在這新移民區的全部歷史中，從來沒有像這樣明目張膽反抗長老的事實。教徒們犯了細小的過失，便須受嚴厲的處罰，那麼，像這樣的頂撞冒犯，又將怎樣處罰呢？費里亞知道他的財產和地位，未必可以幫助他，從前有好多像他這樣的人，也因叛教而死，他們的財產後來都歸給教堂。約翰本是一個有膽量的人，但一想到那無形的恐怖正環繞在他的左右，便也不能不擔心。假使有什麼淸楚的危險，他還能咬著牙對付，但這種懸懸不定的情形，卻更讓人心悸。雖然如此，他還是竭力把他的恐懼隱藏起來，不讓他的女兒知道。但在她聰慧的眼中，卻也早知她老父心中的不安。

他預料他這番舉動一定要受楊格的來信苛責。果然，不過來信的方法卻出乎他的意料。他在第二天早晨起身的時候，忽見棉被上靠近他胸口的地方，用小針別著一小方紙，紙上寫著一行斗大的字：「還有二十九天給你改過，否則……」

那最後的語氣，實在比任何恫嚇的話還要可怖。他的僕役都睡在外屋，門窗又都緊閉，這一張警告的紙怎麼會到他床上，他實在推想不出。他把那紙頭揑成一團，絕口不向他的女兒說起。這麼一來，他心中的恐怖就比之前更甚了。這廿九天的限期，分明就是楊格上一次所約定的。在這種有神祕力量的仇敵控制下，有什麼辦法可以抵抗呢？況且那一雙用小針別上警告紙的手，也儘有直刺他心房的可能，即使是這樣，卻也不會有人知道行刺的兇手是誰。這樣又過一天，但情勢似乎比前一天越發吃緊了。這天早上，他們正一塊兒坐著用早餐，他的女兒露西忽失聲驚呼，指著上面，原來那天花板上用焦木尖寫著「二八」的數字。他的女兒雖然驚訝，卻不知有何意義，老人也不向她說明。那天晚上，他坐著不睡，拿著他的槍整夜防守，但一直都沒有風吹草動。但到了早晨，有兩個很大的「二七」，卻又早已漆在他們的房門外了。

這樣一天一天的過去，那不可見的仇敵天天幫他記算著日期，猶如曙色降臨大地，從沒錯失。有時那可怖的數目字寫在牆上，有時在地板上面，更有幾次，是用紙片黏在園門或欄杆上面。約翰・費里亞雖用了全力，卻始終查不出這每天的警告是在什麼時候來的。後來日子久了，便好像迷信一般，一見數字，便不由得害怕起來。於是他越發憔悴而惶恐，他的眼中露出駭容，好像被獵的野獸。但他此刻心中還有一線希望，就是等那個年輕的獵人從內華達山回來。

二十的數目字變成了十五，然後又從十五變成十。他所盼望的人仍杳無消息，那期限一天天逼近，卻仍不見那少年到來。有時聽見大道上馬蹄聲響，或馬夫的呼叱聲音，那老農總急忙奔到門口，以爲他的救星到了。最後，五天已過，只剩四天，然後減成三天，於是他逃走的意念便完全失去。他知道他對於山中的路徑並不熟悉，如果單身無助，當然是逃不出去的。那些比較熟悉的大道，又都有人嚴密防守，若沒有議會的命令，誰也不能通過。因此，他已覺得走投無路，無論如何，他總躲不過此劫的。雖然如此，老人的決心，卻仍不因此而搖動，他寧願一死，也決不允許他的女兒受辱。

一天晚上，他獨坐尋思反覆思考。但卻仍想不出善計。那天早晨，他的牆上已寫了一個「二」字，暗示明天就是期限的最後一天了。期限過後，又怎麼樣呢？他腦中幻想出種種可怕的景象。他的女兒又將怎樣？他死之後，她究竟會如何？難道他們註定逃不出那無形的羅網？他低垂了頭，伏在桌上，一想到他自己的無能爲力，不禁暗暗飲泣。

什麼聲音？靜寂中他聽見一個輕微的爬抓聲音。那聲音雖小，但在靜夜中卻聽得非常清楚。那聲音彷彿從前門傳來的。於是費里亞走到客廳中去傾聽。似乎有人停下來輕輕叩著門板。難道是什麼半夜裡的刺客，準備施行他的祕密使命嗎？或者那個寫日期的人特地來寫最後一天的警告?約翰・費里亞一想到這裡，就覺得如果立刻能死，還比這樣懸懸不定讓他精神飽受折磨的好些。於是跳前一步，拔去門閂，將大門打開。

屋外寂靜，夜色很美，繁星點點在他頭上閃爍發光。那小小的園圃有籬門圍著，老人的眼睛四掃園中和園外的路上，卻不見有什麼人影。費里亞向左右瞧了一瞧，吐了一口長氣，似放心了些，但當他的目光一瞧到他自己的腳邊時，忽見有一個人俯臥在地上，靠手腳在那裡爬行。

他一見這狀，大吃一驚，他的身子一時站不定，便仰靠在牆上，同時用手按住自己的咽喉，不使它聲張出來。他起先以爲這俯臥的人是什麼受傷或垂死的人，但再仔細一瞧時，見那人已迅速無聲地爬進客廳，像蛇行一般迅速。那人到了室中，便站直了身子，急忙把門關上，老農才清楚看見，那兇暴果斷的面貌正是傑弗生・霍波。

約翰・費里亞喘息道：「好上帝！你使我吃了一驚。你怎麼這樣子來呢？」

霍波嘶聲道：「快給我些東西吃！我已有四十八個鐘頭不曾吃過一口東西，不曾飲過一滴水。」這時，他見餐桌上的冷肉和麵包還沒有收拾，便奔過去狂吞大嚼。等到吃飽，才問道：「露西可平安？」

老農答道：「還好，她並不知道實際的危險。」「那很好。這屋子的四週都有人看守著。所以我才這樣蛇行而走。他們雖然都很靈敏，但要捕捉一個獵人，他們還欠些敏銳呢！」

約翰・費里亞頓時覺得精神振作，彷彿換了一個人。這時他知道自己已得到一個可靠的助力了。他執著那少年粗糙的手，很親密地用力握了一下。

他道：「你實在是一個令人敬佩的人。我知道除了你以外，已沒有人肯來分擔我們的危險和困難了。」

那少年獵人答道：「你的話很對。我固然很敬重你。但這件事如果只爲你一人，那我必會審愼三思，才肯將我的頭放進黃蜂巢來。我此來的確是爲了露西的緣故。並打算在露西遭受危險以前，親身來冒一冒險。」「我們現在怎麼辦呢？」

「明天是你最後的一天了。今晚你若不動身，那便沒有希望了。我有一隻騾子和兩匹馬留在鷹谷中等著。你有多少錢呢？」「兩千塊金洋，五千塊紙幣。」

「很好，我也有差不多的數目可以加入。我們必須穿過山徑，向卡森城去。你最好去把露西叫醒。你的僕役們沒有睡在這一宅屋中，眞是太方便了。」

當費里亞進去喚醒他的女兒，準備上路的時候，傑弗生·霍波把餐桌上的東西，打成一個小包，又將一隻石瓶裝滿了水，據他的經驗，山裡面井很少，並且距離很遠。他還沒有收拾妥當，那老農和他的女兒卻都已裝束完畢，預備出發。這時情侶相見，自是很親密的，但彼此沒有多話，因爲時間寶貴，再也不能夠耽擱。

傑弗生·霍波說道：「我們應立刻動身了。」他的語氣低沈而堅決，表現出他明知有非常的危險在眼前，卻仍意志堅定，準備承受。他又道：「這屋子的前後門都有人守著，但我們小心些兒，還可從這窗戶出去。穿過田畝，我們上了大路以後，再走兩英哩路便可到停馬的山谷。所以到天亮的時候，我們已經穿過山徑，在猶他州的另一邊了。」

費里亞問道：「假使我們半途被人阻擋，那要怎麼辦呢？」

霍波在他胸口露出的手槍柄上，拍了一拍，苦笑道：「如果他們人數很多，我們至少也須把他們弄掉兩三個。」

屋中的燈光已完全熄滅了。約翰·費里亞走到那黑暗的窗口，向外張望，窗外都是他的田畝，但此刻卻將永遠放棄了。他常常惋惜於犧牲這些巨產，但一想到他女兒的貞操和幸福，也就不覺得喪失巨產的可惜了。這時他瞧出去覺得很寧靜而愉快，那隨風搖擺的樹木和廣漠的稻田都非常寂靜，誰也想不到裡面竟會有殺人的魔鬼跳出來。但瞧那少年獵人灰白而沈毅的臉色，便知他們的處境實在危險。

費里亞提著那個裝著金幣和紙幣的錢袋，傑弗生·霍波帶了些食物，露西也有一個小包包，裡面都是她的寶貴之物。他們輕輕地開了窗，又等了一會——等到有一片黑雲從天空中飄過過，夜色更暗了些，他們才一個一個越窗而出，到那小園裡面。接著，他們忍住呼吸，彎著身子從園裡穿過，直到那園籬的黑影下，隨即沿籬而行，到一個通往田畝的缺口。他們剛要走近缺口，那少年忽把父女二人拖住，拉到園籬的黑影底下，他們靜伏著，不停地發抖。

傑弗生·霍波憑著草原行獵的經驗，聽覺特別敏銳，就像野貓的耳朵一般。他和他們的同伴才剛臥倒，便聽見一隻山鴞的慘啼聲，在距離他們數碼處，較遠的另一隻鴞也應聲而啼。這時，見一個高大的人影從園裡的缺口處進來，那人又發出一聲鳥啼聲的暗號，於是第二個人應聲，從暗中走出。

第一人道：「明天半夜，等到鴉啼三聲就對了。」

第二人答道：「知道了，可要告訴蘭勃弟兄嗎？」

「把這消息告訴他，再叫他傳給別人。九個至七個！」

那人複說道：「七個至五個！」說完，這兩個人便分道奔去。他們倆最後的一句話，就是口令式的暗號。等到這兩個人的腳步走遠，傑弗生立即跳起身來，領著他的兩個同伴從園籬缺口出去，十分快速地經過田間，他見露西似已力量不勝，他還扶了她一臂。

他喘息道：「快些！快些！我們已出了防守人的界線，一切全靠迅速。快些！」

他們到了大路，速度很快，且在路上只遇見了一個人，但他們向田裡一躲，竟沒有被那人瞧見。將近市鎮，那少年獵人便轉向一條高低不平狹隘的山徑上走去。那路非常黑暗，上面怪石突出，直通停馬的鷹谷。那裡大石縱橫，傑弗生‧霍波憑著他山行的本能，曲折前進，經過了一條乾涸的水道，才到一個陰僻的谷口。忠心的騾子果然在那裡等著，傑弗生把那女子扶上了騾子，老費里亞帶了他的錢袋，上了一隻馬，傑弗生‧霍波也騎上了一隻馬，在那險峻的山徑上引導他們。

這種崎嶇的路上，若不是在山野中走慣的人，眞不免要驚駭卻步。路的一旁危岩聳立，高度足有一千呎以上，黝暗而可怕，石面上還有一條一條的柱形石，眞像什麼可怖的怪物。另一邊則是亂石錯綜，讓人不容易辨徑前進。這中間有一條狹窄的通道，忽高忽低，只有善於騎馬的人才能在這裡通過。他們雖經過這樣艱險的路徑，心中卻逐漸覺得輕鬆，因爲他們一步一步前進，便逐漸遠離那可怖的勢力。

但不一會兒，他們警覺到他們還沒有脫離摩門教徒的勢力範圍。當他們走到了一個最荒涼的地方，那女子低呼了一聲，舉手向上面指著。在那通徑的旁邊，有一塊巨石，那石因天色的反襯，顯得黝黑而清晰。石上站著一個斥候的人。當他們瞧見他的時候，他也已瞧見他們了。那軍令似「誰在那裡走？」的問句，劃破了靜寂的夜空。

傑弗生・霍波一手摸著那掛在馬鞍上的來福槍，應聲答道：「去內華達的旅客。」

他們瞧見那孤立的守卒把槍舉起，向下面瞧視，似乎對於他們的答語並不滿意。又問道：「憑誰的允許呀？」

費里亞答道：「憑四聖的允許。」他在摩門教徒中生活了好久，素知這四聖就是教中最高權力的人。

那守兵又高聲道：「九個至七個！」傑弗生・霍波一聽，立即回答他先前在園中聽到的口號，忙答道：「七個至五個！」

那上面的人答道：「過去吧，願上帝和你們同在。」

經過了這個隘口，前面的路便變得寬廣了，他們縱馬疾馳，引首回顧，見那孤獨的守兵仍支著槍站在大石上面。於是他們知道自己已經離開了這一班摩門教徒境地，前途是自由的了。

第五章　復仇天使

他們一整夜的路程都是亂石确犖的山徑，好幾次他們幾乎迷了路，幸虧霍波熟悉山路，才能夠重歸正道。天漸漸亮了，雖在野蠻山區，曉景卻也很奇麗。四周都是覆雪的高峰，遠望幾乎齊天，高峰的壁上長著許多松樹，彷彿都虛懸在他們的頭上，似乎只消一陣風，那松樹便會壓落下來。這並不是他們的幻想，因那谷道的兩旁叢木巨石互相交雜，石動樹墜，並不奇怪。當他們經過的時候，恰有一塊大石從上面滾落而下，隆隆之聲在那寂靜的山谷中回響，竟使他們的疲馬驚躍而奔。

太陽從東面的地平線緩緩上升，大山頂上的雪冠，一個一個像燃燒般地發光，好像開筵張燈一般。不一會兒，每一個山頂都受了日光的照射，這種奇偉的美景，讓那三個逃亡的人心中受到無限的安慰，因此，他們便也振作起來。他們到了一道從谷口裡衝出來的瀑布下面，停了馬，讓他們的馬飲水，一方面他們自己也預備吃早餐。露西和她的父親很想在那裡多休息一陣，但傑弗生・霍波卻力說不可。

他道：「他們此刻一定已追上來了。成敗如何，全看我們的速度了。我們到了卡森以後才能平安，那時我們要休息多久都可以。」

那一天，他們努力在山道中前進，到了晚上，他們估計所走的路程已和他們的仇敵距離三十哩了。夜裡他們就揀了一塊懸崖邊的底石準備休息。那裡有巨石擋蔽寒風，他們蹲伏在一起取暖，勉強睡了幾個小時。不到天明，他們又起身重新上路。一路上他們並不見有追蹤人的跡象，傑弗生・霍波便想他們應該已差不多脫離了那可怖勢力的範圍了。但他不知那可怖的力量究竟可達多遠，也不知這力量沒有多久就要降臨到他們的身上來了。

第二天的中午，他們所攜帶的食物已經吃完，這一點使那年輕獵人略覺不安。但他知道山中有禽獸可獵，這時既有槍在，似也不必擔憂。因爲這時候他們已在海拔五千呎的高山上，空氣寒冽而刺骨。他便找了一處避風的地方，又拾了些枯枝生起火來，讓他的兩個同伴溫暖一些。他把馬栓住了以後，向露西告別，便背了槍出去覓取獵物。他走了幾步，回頭瞧見老人和那女子都蜷屈在火燄前面，那三隻牲口也靜立在他們背後。他再走幾步，他的視線就被巨石所擋，瞧不見了。

他約走了二哩路，在山谷中穿來穿去，卻終無所獲。他瞧了瞧樹皮和一些痕跡，知道附近有熊出沒。約過了兩三個小時，仍舊沒有結果。他正準備空手回去，偶一抬頭，忽見一種景象，讓他樂不可支。原來在他上面三四百呎的高度，有一塊突出的巖石，石上有一隻野獸，形狀像羊，卻有一對大長的角。這巨角動物似是一群動物的嚮導，但那一大群動物，霍波卻沒瞧見——這些動物前進的方向恰在霍波的對面，故而他才沒有瞧見。霍波於是仰臥在地上，把他的槍靠在一塊石上，瞄準，然後扣動扳機。那野獸一中槍彈，向空中直跳起來，隨即倒在巖石上掙扎。不一會兒，便從那巖石上墜落下來。

那野獸很重，不便攜取，霍波便割下一塊後腿和腹部。接著他把那獸肉背在肩上，急忙轉身回去。而那時天色已漸漸晚了，於是他更急於回去，但突然發生了困難。因爲他先前匆匆出來，走得太遠，又不曾仔細辨認，這時要從他先前經過的原路回去卻不容易，那谷中的徑道雜亂縱橫，瞧起來都很像，實在不能夠辨別。他在一條山徑上走了一哩多的路，見到一條山溪阻隔，才發現這是他先前沒有經過的，這表示他已走錯了路。於是他又另換一條，結果仍是錯的。夜幕很急促地在天空中張覆起來，天色差不多全黑了。霍波好不容易才找到他經過的山徑。雖然如此，他要回到原處，卻不是容易的事。那時月亮尚未升起，窄徑也被兩旁的高巖所蔽，漆黑難行。他肩上背著東西，又忙碌了半晌，身體眞是疲乏極了，行步時自不免顛跛。然而他心想只要前進一步，便和露西接近一些，精神上便略覺振作，他又想到，得到了這些獸肉，未來的路程上，食物也可以保證無憂了。

他已走到了和他們分別的山徑口了。雖在黑暗之中，他還隱約可以分辨出那父女倆寄頓的巖石。他想他離去了五個小時，他們必已等得很焦急了。他想到這裡，便很高興地把兩手掌圈在嘴邊，高喊了一聲，算是報告他們他已回來的暗號。他停了下來想聽回答的聲音，可是竟沒有人答應，只有他自己的聲音，因著四周石壁的反射，發出的無數回聲。他再次叫了一聲，聲音比之前更響，但始終聽不見他先前分離的兩個同伴的回音。他不由得驚恐起來，匆匆向前奔去，連那肩上的獸肉落下來了，也不在意。

他走到了轉彎角上，望見他用枯枝生火的地方。那裡一堆炭木的餘火還在，似乎從他分離以後，已沒有人再注意加柴。四周仍同樣地靜寂，他越發驚駭，急忙向前奔去。那裡已沒有任何活的東西，餘火旁邊的騾馬和老農父女都已不見！這分明是在他不在的時候，有什麼可怖的意外發生，這禍患傷了人畜，不留一些蹤跡。

傑弗生・霍波受了這個打擊，驚惶過甚，他的頭一陣暈眩，不得不支著他的槍以防跌倒。但他畢竟是一個敏捷的人，不一會便回復了原狀。他從火堆中取起一根燒了一半的木梗，吹著了火，向四周照察。那地上印滿了馬蹄印子，顯然有一大隊騎士已把那對逃走的父女捉了回去。他又瞧見馬蹄的方向的確是回鹽湖城去的。他們已把他的兩個同伴一塊擄劫去了嗎？傑弗生・霍波尋思了一下，覺得一定如此。但是他的眼光，突然接觸到一個東西，竟使他全身的神經都顫抖起來。他見那避風處的一角，有一小堆紅色的泥，是起先沒有的。仔細一瞧，竟是一個新掘的墳。霍波走到近旁，見那泥墳上插著一根木桿，那木桿的破縫中還夾著一張紙片，紙上寫著幾個字：

「約翰・費里亞　死於一八六〇年八月四日」

霍波在數小時前才和那健壯的老人分離，此刻他卻已不幸遇害。這紙條，不用說就是他的墓碑了。傑弗生・霍波再向四周瞧察，想要再覓第二座墳，竟沒有。此時他肯定露西必已被那一班追蹤的人捉了回去，實踐他們原定的計劃，命她做了長老兒子的小妾了。霍波一想到她的命運既已定局，他又無力挽回，便很想和這個老農一塊兒長眠在這寂靜的墓中。

雖然這樣，他的精神忽地又從絕望中振作

起來。他想，即使無能爲力，但拚了他的性命，至少還可以從事復仇。傑弗生·霍波本是有耐心和恒心的人，並且和印第安人相處久了，也養成了一種堅強的復仇心。這時他站在那垂熄的火旁，覺得惟一能夠償他怨恨的方法，就是親手在仇人們身上復仇。他堅毅的想法一經確定，便準備把全副的精神朝這方面進行。那時他臉色灰白而沈著，顯見他已打定了主意。接著他回到那獸肉掉落的地方，將肉取起，回到火旁，將火灰撥旺了些，著手烤那獸肉，準備兩三天的儲糧。最後，他把烤熟的肉做成一卷，朝向那復仇天使所來的山徑上前進。

他這樣辛苦地走了五天。那山徑本是他先前經過的，不過當時是乘馬，此刻卻是步行，所以他的兩腿很酸痛而疲累。到了晚上，他在亂石堆中睡了幾個小時，但不到天亮，就又重新上路。到了第六天早上，他已回到他們先前逃走時出發的鷹谷。從那裡向下面瞭望，便可瞧見那聖人居住的城市。他已困憊極了，因此他用他的槍支著身體，舉起他巨大的手向那下面靜寂而廣漠的城市猛力揮了幾下。他仔細一瞧，見幾條較大的街上旗幟飄揚，像是在慶祝什麼節日。他正自尋思這究竟是怎麼一回事，忽聞馬蹄聲，他見一個人騎著馬向他過來。他等那騎士走近，他才看出那人也是一個摩門教徒，名叫考泊。霍波先前曾幫助過他幾次的，因此霍波等他走近，便上前和他招呼，希望從他嘴裡探聽露西·費里亞的情形。

他道：「我是傑弗生·霍波，你還認識我嗎？」

那摩門教徒用很詫異的眼光向他瞧著。他不敢相信這個襤褸羸弱、臉色慘白、眼光獰厲的人竟是從前英挺的少年獵人。後來，那教徒終於認出霍波，便從驚愕變成恐懼。

他呼道：「你到這裡來簡直是瘋了！就是我此刻和你談話，假使被人瞧見，我的性命必也不保。四聖已發出通緝的命令，要處罰你幫助費里亞父女逃走的罪。」

霍波很懇切地說道：「我不怕他們，也不怕他們通緝。這一點，你也一定知道的。我請你回答幾個問題，我們平日的交情不錯，請瞧在上帝的分上，不要拒絕回答。」

那摩門教徒很不安地問道：「那麼，什麼事？快些！須知這裡的石塊都有耳朵，樹木也有眼睛的！」

「露西・費里亞怎麼樣了？」

「她昨天已嫁給小蘭勃了。你站穩些，你分明已沒有體力了。」

霍波很虛弱地回答道：「你不必管我。」這時，他的嘴唇泛白，身體已經站立不住，倒在一塊岩石上。接著他繼續道：「你說她已經嫁人了？」

「昨天結婚的。那屋上的旗幟就爲了這事。他們起先曾有過一番爭論，就是小蘭勃和小史坦格遜究竟誰應娶她。他們倆都曾跟著那追蹤的隊伍去，而且是由史坦格遜將她的父親擊斃，似更有充分的理由娶她。但他們開會爭議的時候，蘭勃一派的勢力較大，因此先知將那女子判定歸給蘭勃。然而我昨天見她的臉，已充滿了死亡的氣息，蘭勃雖然得到她，也不能享受多久了。她已不像一個人，而是像一個鬼了。現在你打算要走了嗎？」

傑弗生・霍波已從大石上站了起來，答道：「正是，我要走了。」

他這時的面容就像白石鑿成的一般，冷肅而緊張，眼中卻殺氣騰騰。

那教徒問道：「你到那裡去？」他答道：「你不必管。」說完，他把槍掮在肩上，緩緩走下山谷，向群山的中心走去。那裡本是野獸出沒的地方，但這時他心中的意志，實在比任何野獸還要兇險。

那摩門教徒考泊，對露西的預料竟然應驗了。她不知是否因爲她父親的慘死，或是因爲被迫結婚，竟奄奄一息，不到一個月，便憂鬱而死。她可惡的丈夫本來就爲了要圖謀約翰·費里亞的產業，所以才爭著娶她，此刻見她死去，也毫不覺傷心。但他其他的幾個妻子卻都很哀傷。下葬的前一天晚上，他們依著摩門教的教規坐守屍旁。到了第二天早晨，大家仍圍坐在屍體四周的時候，忽然室門被撞開，有一個面貌粗野、衣衫襤褸的人直闖進來，讓他們大吃一驚。那人不向四周的婦女看一眼，就直奔到露西·費里亞蒼白的屍體旁，俯著身子，用嘴唇在她冰冷的額上親了一下，接著，又執起她的手，將她手指上的結婚戒指取下。

他大聲道：「她不應當這樣下葬的！」說完了此話，怒吼一聲，大家還不及反應，早已飛身下樓離去。他的舉動如此飄忽而神速，別的人幾乎不相信這是一件眞實的事。要不是她手上那只做爲新娘標記的純金戒指不見了，大家還不敢相信這件事。

在以後幾個月中，傑弗生·霍波留在山中，過著如野獸般的生活。然而他心中報仇的意念卻日漸深切。那時城裡發生許多傳說，常見有奇怪的人在城外往來，並且有時還在那冷冷的山谷中作怪。有一次，一粒子彈射穿史坦格遜的窗檻，和史坦格遜距離不到一呎；又有一次，蘭勃從一塊巖石下面經過，忽有一塊大石墜落下來，幸虧他立即仆在地上，方才保住性命。這兩個年輕摩門教徒，不久也知道他們所以遇險的原因。因此，他們好幾次結隊往山裡去，希望捉住或殺死他們的仇敵，可是一直沒有成功。後來他們爲謹愼起見，一到夜晚，便不再出門，就是日間外出，也決不單身獨行。此外又嚴密防守住家四周。過了好久，他們的防備才漸漸鬆懈。因爲他們已好一陣子沒聽見那敵人的消息了，他們便想，他復仇的心也許冷淡了。

事實不但不像他們所想的，霍波報仇的心反而更加強烈。他本來就是意志堅強的人，而這種深仇又深深盤踞在他的腦中，因此除了復仇以外，更容不下別種情緒。但他是講求實際的人，他自知他雖有像鋼鐵般的身體，但常年處在這種磨難的情況之中，必也不能長久。他日夜暴露在風吹日曬之中，又沒有清潔的食物，身體漸漸消耗。他心想，假使他像野狗一樣死在山中，那麼，報仇的心願要如何完成呢？若照這樣下去，終不免磨蝕而死。於是他決定暫時回內華達礦區，讓他的體力恢復，並積聚些錢，只要能夠讓他達到目的就好。

他原想最多只在礦場中待一年，但因種種意外的事情，把他羈絆在礦場中竟將近五年之久。但即使如此，他受傷的回憶和復仇的心，仍像他站在約翰・費里亞墓前的那個晚上一樣熱烈。他於是喬裝起來，取了一個假名，回到鹽湖城。這時，他把自己的生死置之度外，只希望正義能得伸展。他到了城裡，卻聽見幾種不好的信息。在數月以前，教徒曾有過一次爭鬨，有些年輕教徒反抗他們掌權的長老，結果有好多人都離開猶他，成了異教人了。在這些叛教人中，蘭勃和史坦格遜也在其中，但沒有人知道他們倆往那裡去。據外面的謠傳，蘭勃把他的大部分產業變賣，所以離開時已變成了一個富人，他的同伴史坦格遜則比較窮困些。不過他們究竟往什麼地方去，卻沒有一個人知道。

一般人在這種情形下，縱使有再深的復仇意念，也要灰心喪志。但霍波卻憑著他小小的才能，一邊找工作，一邊在美國的各城市一一尋找，希望找到他仇人的蹤跡。這樣一年一年的過去，他的黑髮已逐漸灰白，但他仍繼續進行他復仇的工作，就像一隻獵狗一樣。最後，他的恆心果然得到了報酬。雖然只是窗中的一瞥，讓他瞧見了一個面孔，但就在這一瞥之中，他便已確定他所追尋的兩個仇人，就在俄亥俄亥州的克里夫蘭城中。他見到以後，便急忙回到寄寓的地方，安排他復仇的計劃。不料當霍波從窗裡瞧見蘭勃的時候，蘭勃也瞥見霍波在街上，並且看到他眼中露出的一股殺氣。他知道不妙，急忙報告他的同伴史坦格遜，那時史坦格遜已做了他的祕書。他們舊時的仇敵既已出現，可見他們的性命已在危險之中，於是他急忙去警局報案。

當晚傑弗生．霍波就被逮捕，但因爲沒有確切的證據，只拘禁了數個星期便被釋放。等到他自由了之後，再往蘭勃的屋子去找時，已空無一人，他和他的祕書已動身往歐洲去了。

霍波這時又失敗了一次，但他報復的意念仍不稍減。他決定繼續追蹤，可是他缺少路費，不得不重新工作，以便積蓄些錢當盤纏。終於，他存了足夠動身的錢，便啓程往歐洲去。一路上他一邊工作，一邊處處尋找他的仇敵，卻仍難達目的。當他到聖彼得堡的時候，探知他們已轉往哥本哈根。霍波追到了丹麥的首都哥本哈根，卻又遲了幾天，因爲他們又已改道往倫敦去了。直到最後一次，方才達到了目的。至於那時的情形怎樣，我們不如瞧那老獵人自己的供詞。這供詞已載入華生醫生的紀錄中，我們先前已經讀過他的記載了。

第六章　供詞

我們的罪犯表示，他起初猛烈的抵抗，並不是對我們有什麼惡意。現在他既覺得無力抗拒，便也很和悅地笑了一笑，並表示他希望在掙扎時，沒有讓我們受傷。

他對歇洛克・福爾摩斯說道：「我想，你現在要把我送進警局裡去了。我的馬車在門外，如果你把我腿上的繩子鬆開，我就可以自己走下去。我自知我的體重不輕，恐怕不容易抬得動。」

葛萊生和雷斯特拉彼此相覰了一會，似表示這種請求如果應許了，似乎太冒險了。但福爾摩斯卻聽那罪犯的話，立刻把綑綁在那人腳踝上的一條毛巾解下來。於是那人立刻站了起來，把兩腿伸了一伸，試試他的兩足是否眞的自由了。我記得當時我盯瞧著他，心中暗自忖度，像這樣一個魁梧強壯的人實在罕見。他那黝黑、受風日薰炙的面容露出的堅毅表情，和他那強大的體力一樣使人生畏。

他瞧著我的同伴，露出欽佩的表情，說道：「我認爲警局裡如果有一個警長的空缺，你絕對可以擔任了。你偵查我的方法，實在是十分地謹愼周密。」

福爾摩斯向那兩個偵探道：「你們最好和我一塊兒去。」雷斯特拉道：「我可以爲你們駕車。」

福爾摩斯道：「好！葛萊生，你和我們同坐在車中。醫生你也去，你對於這件案子已充滿了興趣，此刻儘可以同往，瞭解一番。」

我很高興地答應了，便一同下樓，我們的罪犯並不想逃走，很安閒地步入他自己的車中，我們也跟他進去。雷斯特拉跳上了車夫的座位，揮鞭策馬而行。沒有多久，已把我們送到了目的地。我們先被引進一間小房間中，裡面有一個警官，他先將那罪犯的姓名和那兩個被害人的姓名紀錄在一起，那個警官面無表情，好像一個沒有感情的人，他完全以一種呆板的機械方法來執行他的職務。他說道：「犯人在本星期中就會開庭審訊，傑弗生・霍波先生你可有要申訴的話？但我警告你，你的話都會被紀錄下來，也許就會做爲你定罪的證據。」

我們的罪犯緩緩答道：「我有不少話要說，也很願意當著你們的面，把一切的事情說明白。」

警官道：「你等到開審的時候再說，不是更好嗎？」

他答道：「我也許不會受審了。你們不用害怕，我並不是想自殺。你是醫生嗎？」

他問完，立刻轉頭過來，用他兇悍、黑色的眼睛向我瞧著。

我答道：「是的，我是醫生。」他道：「那麼，請你用你的手在這裡按一下。」說著，他臉上帶著微笑，又用手朝他的胸口指了指。

我依言走過去按診他的胸口，覺得那裡跳動得非常急促，連他的胸廓都有些微微震動，就像一宅垂圮的屋子，裡面卻有巨大的機器在那裡運轉工作一般。在這靜寂的屋子，我彷彿聽到微小的血液流動的聲音。

我大聲呼道：「啊，那麼你是患了動脈血瘤症！」

他淡然答道：「是的。上星期我曾去請教

一個醫生，他說再過不了幾天，血管可能就要迸裂。這病已好幾年了，一年比一年嚴重。我在鹽湖城外的山裡生活時，因爲露宿山野，又不得適當的飲食，才得到此病。現在我的目的已達成，什麼時候要死，我都不在乎。不過我想把這件事的過程說清楚，因爲我不願意被人家當做一個尋常的兇手。」

那警官和兩個偵探商量了一會，似乎已允許他講述他的故事。

那警官又問我道：「醫生，這個人的病情，確實非常危急嗎？」我道：「確實如此。」

警官道：「既然這樣，我們自當盡我們在法律上的職務，把他的口供紀錄下來。先生，你現在可以自由發言了。不過我還是得警告你，你的話都會被記下來的。」

那犯人道：「如果允許，我想坐下來講。」他邊說邊坐了下來，說道：「這動脈血瘤症常使我容易疲倦。半小時前，我們那一次的掙扎，更使我覺得困憊。我現在已在墓穴的門口，決不會說謊話。我的話句句都是實話，至於你們聽了以後想要如何處置，那就和我完全沒有關係了。」

傑弗生．霍波說完這句話，便將身體靠在椅子上，說出下面的一篇奇異供詞。他說時很平靜而有次序，似乎那些事都平常極了，而我的紀錄可說是完全眞實。因爲我是抄錄自雷斯特拉的記事簿，而雷斯特拉是那天將犯人的話，逐字逐句記下來的人。

他說道：「我爲什麼恨惡這兩個人，這問題與你們沒有關係，似乎不必多說。但簡單地說，他們倆的確犯了傷害兩條性命的罪——一個父親和一個女兒——因此，他們最後也必須拿性命來抵償。他們犯下滔天大罪已經很久了，我卻沒有任何方法可到法庭裡去按鈴控告，定他們的罪，但我確知他們是有罪的。因此我下定決心由我一個人擔任法官、陪審員，和行刑的劊子手。假使你們有幾分人性，與我處在同樣的情況，那麼，你們想必也會像我這樣做的。我所說的那個女郎，在二十年前，本來應當嫁給我的，但後來卻被人強迫嫁給那個蘭勃，於是她的芳心碎裂，飲恨而死。我從她手上取下那個結婚戒指的時候，就發誓在蘭勃臨死前，一定要讓他再看到這個戒指，提醒他善惡終有報的。隨後我拿著這個戒指設法追蹤他們，幾乎跑遍了兩大洲，直到這裡，他們行蹤才進入我的掌握。他們一定以爲日子一久我就會逐漸淡忘，可是他們終究是錯了！只要我活著一天，我就一天不會放棄。現在即使我明天就會死，我也瞑目了。因爲他們這兩個惡人都已死在我的手中，所以我已經沒有別的遺憾了。他們是有錢的人，我卻是一個窮漢，所以要跟蹤他們，實在不是容易的事。當我到倫敦的時候，口袋已空無所有，因此，我便不能不找些事情做，以便維持我的生活。騎馬和駕馬對我來說就像步行一般容易，所以我到一家車行去找工作，果然成功。我和車主約定，每星期交給他若干租費，餘剩的便歸我所有。我這工作很辛苦，存餘的錢不多，但我仍勉力幹著。在這驅車的工作中，最困難的就是認識道路，因爲我覺得這城市的道路縱橫雜亂，彷彿像迷陣一般，很容易讓人走錯。所以我買了一張地圖，放在座旁，以便隨時參考。後來我熟悉了幾個大旅館和火車站，我的工作也漸漸變得輕鬆容易了。我費了好久的工夫，才查明蘭勃和史坦格遜住在什麼地方。我起先東問西問沒有結果，後來一次偶然看見，才知道他們住在河對岸康白衛路的一間屋子中。那時我高興極了，心想既掌握他們的蹤跡，他們的生死也就掌控在我的手中了。我又想我臉上的鬍子已長得很長，他們一定認不出我，於是我決定不時跟蹤他們，以便伺機得到下手的好機會。我打定主意，這一次無論如何，不能再讓他們逃走了。不過，沒想到他們竟又想要動身了！無論他們去那裡，我都跟蹤在他們的後面，有時我坐在自己的馬車上，有時我徒步而行。還是用馬車跟蹤比較好，因爲即使他們雇了車子，我仍舊跟蹤得上。因此，我的工作大受影響，只能在清晨或深夜的時候載些客人，收入也就大減。但我的目的是要向那兩個人報仇，所以這一點當然就不把它放在心上了。這兩個人卻也很狡猾，大概他們也防著有人跟蹤，所以從不單獨出行，一到晚上，也都足不出戶。有兩個星期，我天天跟在他們後面，卻不曾見這兩人分開過。蘭勃時常飲得爛醉，但史坦格遜卻是滴酒不飲的。我自早至暮守伺他們，卻始終沒有下手的機會。但我並不因此灰心，因爲我彷彿聽到什麼無形的聲音告訴我，復仇的時候已近了。那時我心中惟一害怕的，就是在我的心願尚未完成以前，我身體裡的血管已先迸裂，如果那樣，我眞是死不瞑目了。後來，在一天晚上，我駕著馬車在他們住居的陶貴里附近往來徘徊，忽見有一部馬車駛到他們寓屋的門前停下。不一會，便見有人從屋裡搬著行李出來，再停片刻，蘭勃和史坦格遜二人也跟著出來，上車駛去。我也急忙揮鞭策馬，但遠遠落在在他們之後，那時我心中很不安，深怕他們遷移了寓所，就更不容易找尋。誰知到了伊司登車站，他們竟下了車。我急忙找一個孩子替我看守著馬車，而我則悄悄跟著他們到月台上去。我聽見他們探聽往利物浦去的火車，那站長回答有一班剛才已經開出，還須等幾個鐘頭，才有第二班車。史坦格遜聽了似乎怏怏不樂，但蘭勃卻反因此而很高興。我趁著衆人圍集的機會，走到他們近旁，聽清楚他們交談的內容。蘭勃說他要去幹一件事，希望史坦格遜稍等，他立即就可以回來。史坦格遜似不以爲然，並說他們早有約定，彼此不能分離。蘭勃又說那事情很瑣碎，只能他一個人去幹的。史坦格遜對這句話有什麼回答，我已聽不清楚，但蘭勃便因而發火，聲言史坦格遜只是他雇用的僕人，不應當干涉他的事情。那祕書見不能勸阻他，便也答允了，並和他約定，他如果趕不上末班火車，就到赫列台旅館去會他。蘭勃回答一定來得及趕回，在晚上十一點之前，一定可在月台上相會，接著他就匆匆離開車站。啊，我盼望許久的機會，此刻已在眼前了，那時候我自信我的仇人已逃不出我的手掌心。當他們倆在一起的時候，也許可以互相幫助，但一旦落單，那就再也逃不出我的掌控了。但我並沒有鹵莽下手，我的計劃早已安排妥當。復仇的時候，若不讓對方明白殺害他的是誰，和爲什麼要結束他的性命，那未免太沒有意思。所以我就想了一個辦法，一定要讓我的仇人知道，他從前所犯的罪惡，現在已到了抵償的時候了。在數天以前，偶然有一位先生喚了我的車子往孛力克斯頓路，要去找尋一間空屋。他卻把那間空屋的鑰匙遺落在我的車中，到了晚上，那人找到了我，才把鑰匙索回。但當那鑰匙留在我手中的時候，我早已印下了一個印子，後來，就照樣造了一個。有了這個鑰匙，我在這大城市之中，也有一個地方可以任我應用，不致受什麼阻礙了。但那時最難解決的問題，就是我用什麼方法才可把蘭勃引進那空屋裡去呢？他們分開以後，蘭勃接連走進了兩家酒鋪，到了最後一家，他竟在裡面耽擱了半個小時。當他出來的時候，舉步搖擺不定，分明已經醉了。那時我前面停了一輛雙輪馬車，他便把那車叫住，等他上車後，我就緊緊跟在後面，兩車相距只有一碼左右。我們經過了滑鐵盧橋，又穿過了不少街道，後來他竟出我意外地，又回到他先前居住的寓屋門口。我想不出他再回來有什麼用意，於是我便把我的馬車停在距離那屋子一百碼左右的地方。他果眞進到屋子裡去，那輛雙輪馬車便開走了——對不起，請給我一杯水，我說得口也乾了。」

於是我取了一杯水給他，他一飲而盡。

他繼續道：「這樣好些了。那時，我在外面等了十五分鐘，或許更久一些，忽聽見一陣喧鬧聲，似乎有什麼人在屋中爭鬥。沒多久，那屋子的前門打開了，有兩個人從裡面出來，一個就是蘭勃，另有一個少年我卻從來沒有見過。那少年一把提住蘭勃的領扣，到門外的石階上面便用力一推，又舉腿踢了一腳，竟將蘭勃直踢到半街上。那少年揮著他手中的一根手杖，大聲道：『你這瘋狗！你竟敢欺辱一個純潔的女子。我非給你一個教訓不可！』他表情盛怒又可怖，他本想要用他的手杖再將蘭勃痛擊幾下，但蘭勃卻拚著命，朝街上奪奔逃去。他跑到了轉角，見我的馬車停在那裡，便向我招呼，隨即跳進了車子，說道：『快送我往赫列台旅館去。』當我見他踏進了我的車廂，我因歡喜過度，覺得心跳得很厲害，我祈禱在這最後的關頭，我的血管千萬不要迸裂，弄壞了我的大事。我故意緩緩驅車而進，心中尋思怎樣才能萬全行事。我起先還想把他送到鄉間，在什麼荒僻的地方和他作一次最後的晤談。不料在我猶豫的時候，他已替我作了決定。原來他好酒的毛病又發作了，他吩咐我在一家大酒店外停車，並叫我在門外等待，接著就走到裡面去了。他在裡面耽擱了好久，直到那酒店打烊才出來。那時候他又醉得不成樣子，我便知這一齣戲儘可以一個人玩。你們不要以爲我會用什麼殘酷的手段將他殺死。但論情，就算我這樣將他殺死，也可算是公道的，但我卻還不屑如此。我早已決定，處治他的時候，還要給他一條生機，他也許能僥倖活下。在我流蕩的歲月，我做過各種工作。我在美洲的時候，曾在約克學院充當過化驗室裡的清潔工。有一天，有一位教授演講毒藥的專題，並把一種叫做生物鹼的毒藥拿給學生們瞧。那毒藥是從南美洲土人箭頭上的毒藥提煉出來的，藥性強烈，只須一克，便能立刻致命。我當時記住了那藥瓶放置的地方，等到他們散去以後，就偷了少許過來。我本就有些製藥的本領，因此把那毒藥做成了兩粒小丸，分藏在兩個盒中，另外又做了兩粒同樣大小沒毒的藥丸，和有毒的放在一起。我暗下決心，等到我有了復仇機會的時候，我就要拿出那盒子中的藥丸，叫他們倆各取一粒，餘下來的藥丸我自己吞服。這毒藥不但有殺人的效果，而且實行起來簡便多了，沒有用手巾按著槍口開槍的煩麻。從那時後起，我便隨身攜帶這兩個藥丸盒子，後來的確派上用場了。那時是半夜一點鐘。陰沈的天空，狂猛的風，大雨傾盆而下。這時外面的一切景象雖然愁慘，我心裡卻樂不可言，幾乎縱聲歡呼。如果你們也曾經切心完成一件事，盼望了二十年之久，現在事情即將到手成功，那麼，你一定能夠想像得到我當時的情緒了。我點了一枝雪茄，噴著煙霧，藉此鎮定我的神經。但我的兩隻手顫抖不止，太陽穴也因驚喜過度，跳動得很快。我一路驅車前進的時候，瞧見老約翰・費里亞和可愛的露西從黑暗中向我瞧著，臉上都帶著微笑。這景象我瞧得很清楚，就像此刻看見各位一樣清晰。我的車子一路前進，費里亞和露西始終在我的馬前引導，一直到孛力克斯頓路的空屋前面。那時路上一個人都沒有，除了雨聲以外，毫無任何聲息。我從車前窗口向車廂裡瞧視，見蘭勃蜷伏成一堆，知道他已從醉得進入了睡鄉。我走下來拉著他的臂膊，向他道：『現在你該出來了。』他道：『好的，車夫。』我料想他必定以爲已到了他所指示的旅館，因此並沒有多話，跟著我一直走到空屋前面的小園內。我在他的旁邊扶著他往前走——那時他依舊搖搖欲倒。到了門口，我將門打開，領他走進室中。我老實告訴你們，一路上，費里亞父女始終在我前面引路。蘭勃頓足道：『這裡太黑暗了』我答道：『馬上就有火了。』說時，我擦燃一根火柴，把我帶去的一枝蠟燭點著。隨即將燭光舉近我自己的臉，回頭向他瞧著，繼續說道：『喂！依拿克特・蘭勃，你可認得我是誰？』他用朦朧的醉眼向我凝視了一會，忽然眼睛張的斗大，露出恐怖的神情，他的身體也不停地顫抖，不聽使喚，想必他已認出我了。他立即退後一步，臉色發白，額角上的汗珠也滾落在眉毛上面，牙齒震震相戰。我見了這狀，便把背靠在門上，縱聲大笑。我早料到復仇是最令我愉快的事情，但那時我心中滿足的程度，卻是令我意外的。我說道：『你這瘋狗！我從鹽湖城追蹤你，直到聖彼得堡，你竟屢次逃脫。但現在你的死期到了，我和你二人之中，必有一個不能見到明天早晨的太陽。』我說話時，他越退越遠，我瞧他的表情，定以爲我已發瘋了。其實那時候我確實有些瘋了，我太陽穴上的血管跳動得愈來愈激烈，好像錘擊一般。如果那時血液不從我的鼻子流出來，我也許就會暈倒了。我把門鎖上，舉著鑰匙，在他面前揚了幾下。又大聲道：『你認爲露西．費里亞此刻會怎麼樣？你的刑罰固然來得遲，但到底還是來了！』我說這話時，見他的嘴唇顫抖不已，似想求我饒命，但他也知道這是毫不可能的。他結巴地道：『你要謀殺我？』我答道：『這並不是謀殺。誰想要謀殺一隻瘋狗呢？當你把我可憐的愛人從她被殺害的父親手裡劫奪去，又強迫她成爲那無恥的妾婢群的一個，你那時可還有一絲一毫的仁慈之心？』他大呼道：『她的父親不是我殺死的。』我厲聲道：『但粉碎純潔芳心的，卻是你！』說時，我拿出一隻盒子，丟在他的面前。又道：『讓至高的上帝判決我們吧！你選一粒吞服，一粒足以致命，另一粒卻能得生。我也會將你選剩的一粒吞下。這樣，我們就可以知道這世界上是否還有公道，或者只是純粹碰運氣。』他這時發出一些淒慘的叫聲，和哀求的禱語，求我饒他的性命。我拔出刀來，抵在他的咽喉，直逼到他聽從了我的話才放下刀。而我也把另一粒吞了，接著，我們面對面靜站了一兩分鐘，瞧瞧究竟誰死誰活。那時他臉上有異狀了，很顯然，那毒藥已被他吞下。這些情景，我怎麼忘得了呢？我不禁大笑，又把露西的結婚戒指舉在他的眼前。但這只是一眨眼的功夫，因爲那毒藥的作用非常迅速的。他臉上露出一種慘痛的表情，兩手高舉，身體搖晃不定，接著，大叫了一聲，便跌倒在地板上。我用我的腳把他翻了一個身，又伸手摸他的心房，已停止不動，他已死了，他終於死了！那時我不停地流著鼻血，但我並不在意。當時我不知道腦子在想什麼，竟會想到在牆上寫字，也許我因爲得意和心裡輕鬆的緣故，便想使警察們的偵查走錯方向，故而有此詭計。我記得有一個德國人在紐約被殺死，他身上有『Rache』一字，後來報上宣稱這件事是祕密黨會幹的。我想這字起先既曾迷惑過紐約的人，現在也許也可以騙倒倫敦的人。因此我就用手指，沾著自己的血，在牆上適當的地方寫了那一個字。接著，我走出來回到車中，四周仍安靜無人，風卻很猛烈。我把車子駛動，走了不多久，伸手摸那個常放露西的戒指的口袋，但是那戒指竟不見了。我大吃一驚，因爲這東西是她惟一的紀念物，我決不忍捨棄。我想也許在我扶住蘭勃身體的時候，把那戒指掉在地上。我因此重新將車子駛回，停在附近的一條橫街上，然後放膽向屋子走去。我已有心理準備，就算冒任何的生命危險，也不願失掉那個戒指。但我走到那空屋門口，恰好有一個警察從裡面出來，我幾乎和他撞個滿懷，我爲了避免嫌疑，只好假裝成大醉的樣子。這就是我結束依拿克特・蘭勃生命的情形了。再來的任務，就是以同樣的方法對付史坦格遜，以便了清約翰・費里亞的宿債。我知道他住在赫列台旅館，但我在旅館外面守了一天，卻不見他出來。我料想他也許因爲蘭勃失約不到，已有所懷疑，這史坦格遜確實很狡黠，防備地非常嚴密。但他若是認爲只要住在旅館裡面，便能避免我的報復，那眞是大錯特錯。我查出了他臥室的窗口，利用旅館後面橫放的一部梯子，趁曙色未明的時候，爬進他的臥室裡去。我把他叫醒了，告訴他在好久以前所傷害的性命，此時已到了該抵償的時候了。我並把蘭勃死時的情形說給他聽，叫他也用同樣的方法選取毒藥，他不但不願意接受我給他活命的機會，反而從床上跳起來，扼住我的咽喉。我基於自衛，就用刀直刺他的心窩。其實無論用什麼方法，結果是同樣的。因爲上帝決不會讓那雙犯罪的手，選取沒毒的那一粒，因此他若照我的話做，一樣也要死的。我現在沒有別的話了。好在我的事情已成功，而我的身體差不多也支持不住了。我繼續趕了一兩天馬車做生意，希望能再多積幾個錢，讓我回美國去。當我把車停在廣場上時，忽有一個衣衫破舊的少年走過來，問道誰是名叫傑弗生・霍波的車夫，貝克街二二一號B座，有一個人要雇他的車子。我不疑有什麼岔子，就跟著他去，不料到了上面，這一位先生就把手銬銬在我腕上，那種敏捷出其不意的舉動，我生平第一次遇到。先生們，這就是我全部的故事，你們也許要稱我爲兇手，但我卻自問，我和你們一樣都是執行公道的法官！」

這人的故事眞是驚心動魄，他的神態又讓人印象深刻，因此，我們都靜坐地聽得出神。就是那兩個職業的偵探，雖然對罪案閱歷無數，但在聽那人敍述他的故事的時候，竟也顯得特別專注投入。他說完了以後，大家靜寂了好幾分鐘，後來才被雷斯特拉的鉛筆聲音打破沈默，因爲他的速寫紀錄，已寫到最後一筆了。

最後，歇洛克・福爾摩斯說道：「還有一點，你那個看了我的廣告來領回戒指的同黨又是誰？」

那犯人向我的朋友斜視了一眼道：「我可以把我自己的祕密告訴你們，但我卻不會連累別人。我瞧見了你的廣告後，也想過這也許是個圈套，但又想這也許果眞是我所尋找的戒指。所以我的朋友就自告奮勇，願意來瞧一瞧。我想你也許要誇他辦得很漂亮呢！」

福爾摩斯誠懇地道：「當眞靈敏漂亮極了。」那警官嚴厲地說道：「先生們，這案子應當依照法律的程序辦理。星期四，這犯人會被帶到法庭上開審，屆時請你們務必到場。但在開審以前，我必須負起看守他的責任。」

他說時伸手按鈴，傑弗生・霍波就被兩個獄官挾著出去。我和我的朋友也離開警局，坐車回貝克街去。

第七章　結束

我們本來都已受了指示，準備在星期四出庭的。但到了星期四，竟再也不需要我們去作證了。有一個至高無上的法官已接受了這一件使命，把傑弗生．霍波喚去，接受了公道的處分。原來就在他被捉的那天晚上，他的血管迸裂，第二天早晨便已僵臥在囚室裡面，他臉上露著笑容，似乎在臨死的時候，他回想從前的生活，並未虛擲，任務已完成了，十分安慰。

那天晚上，我們倆談起這件案子，福爾摩斯說道：「葛萊生和雷斯特拉兩人為了那人的死，一定很懊喪。你想罪人既死，他們揚名立功的工具在那裡呢？」

我答道：「我並不覺得那人被擒，他們倆有什麼功勞。」

我的同伴冷冷地道：「你須知在這世界上，實際上做得怎樣，並不重要，重要的是你能夠讓別人相信你做了什麼。」他停了一下，又很愉快地說道：「不要說這些話了。無論如何，我實在不肯錯過這件案子。在我的紀錄中，沒有比這一件更好的案子。這案子雖然很簡單，但也有幾點值得研究的。」我詫異地道：「很簡單？」

歇洛克．福爾摩斯見了我的驚訝，笑著說道：「這是實話，我實在不能用其他的字眼形容。你想我並不需要任何幫助，只用了一些尋常的推斷，三天之中，便能把犯人捉住。這當然可算是案情簡單的證據了。」我道：「這倒也沒錯。」

「我已經對你說過，凡案中有出乎尋常的特徵，不但不足以構成偵查的障礙，卻反而是線索。解決這種案子，最要緊的就是不斷地往前追溯。這是極容易的方法，不過人們都不肯在這一點上下功夫。我們的日常生活大半都是向前看的，因此，便容易把其他的部分忽略了。大概有百分之五十的人還能夠做到綜合推理。但若能用分析的方法一一推理的，那一百人中可能只有一個人了。」我道：「老實說，我不明白你的話。」

「我也知道你不明白。現在我可以說得更明白些。大部分的人是這樣的：你若把種種的事實告訴他們，他們便能把事情的結果告訴你。因爲他們把種種事實會集在腦中以後，便去推想事情的關聯性，然後就得到一個結果。但你若把一件事情的結果告訴他們，而他們還能憑著回溯推理，說出之前的步驟，那卻只有少數人能做得到了。這種方法，就是我所說的回溯推理，也可說是分析的推理。」我道：「我明白了。」

福爾摩斯道：「現在這件案子就是先得到結果，然後我們從結果上找尋種種跡象。我現在可以把推理的步驟說給你聽：一開始，我帶著空洞、完全沒有概念的腦子走到那空屋前面，這是你知道的。我先察驗街道，就瞧見了車輪的痕跡，經過研究的結果，斷定這痕跡是前一夜留在那裡的，這一點我也早告訴你了。我又發現那車輪的距離很窄，便馬上判定不是私人自備的馬車，而是倫敦街頭載客的四輪馬車。這是我觀察所得的第一點。接著，我走進園徑裡去，那裡恰是泥地，最容易印留足印。在你看來，必以爲有無數雜亂的足印，無從辨別。但在我經過訓練的眼裡看來，卻覺得每一個印子都有意義。在偵探學上，實在沒有比檢查足印更重要的技術了！我在這一點上，曾下過深切的研究，又時常應用實驗，所以便變成了我的第二本能。我看見除了警察們沈重的靴印，另有兩個人的足印，比他們更早在園中經過。這足印的先後是很容易辨別的，先踏的印子被後來的人所踐踏，所以都比較模糊不清。因此，我又得到了第二個環節，知道最初到這屋子的共有二人。一個很高，這是我從他步闊的長度上推算出來的，另一人衣著很時髦，這是從他尖小精緻的鞋印上知道的。進屋以後，這最後的推想果然立即證實了，因爲那個穿美靴華服的人正躺在地上，於是我就知這案子若是一件謀殺案，那麼，那兇手一定是個高大漢子了。那死者身上並無傷痕，但他臉上驚怖的樣子告訴我，他在臨死以前，必已知道他將死的命運。凡是心藏病發，或其他任何突然發生的疾病，臉上決不會有這種表情。我在那死者的嘴唇上嗅了一嗅，略有些酸氣，於是我認爲這人是被迫服毒而死的。此外，他臉上的那種怨恨和恐怖的樣子，就是被迫的一證。我經過種種的推想，便得到了這個結果，因爲除此以外，沒有其他更理想的假設可以吻合成立了。你不要以爲這是一種從來沒有聽過的假設，須知強迫服毒，在罪犯史中已不能算是新創的手法。例如亞德薩的陶爾斯克案、茂姆培利耶的雷杜利一案，都是相同的。這時最重大的疑問來了。就是爲什麼要強迫這個人服毒呢？搶劫分明不是這案子的目的，因爲那裡什麼東西都沒有缺少。也許這是一件政治案子？或是和感情有關的案子？這一點一時還不能確定。後來，我偏重在第二個假設。凡因政治案件而行兇的人，一經成功，勢必急忙逃走。這件兇案，卻幹得非常謹愼緩慢，室中又印滿了那人的足印，顯見那犯罪的人在那裡逗留很久。因此，這一定是報仇的案子，不是政治案件。後來又發現了牆上的血字，於是我的假設便更加肯定了，因爲那字跡一看就知道是一種幌子。等到發現那個戒指之後，所有的疑問便完全解決了。那戒指應該是給死者看的，讓他追憶某個已死或不在場的女子。所以我才問葛萊生，他拍電去克利夫蘭時，是否問及死者蘭勃生前有無特殊的歷史，他卻回答沒有，這件事你應該還記得的。後來我又在室中仔細察驗，才察探出兇手的高度、指甲的特徵，和他是個嗜吸印度雪茄的人。由於室中沒有爭鬥的跡象，我料想那地板上的血跡，也許是兇手在驚惶之中，從鼻子流出來的。這一點我也有實際的證據，因那血點經過的地方，他的腳印也跟著前進。我想，要不是那人的血液過於充旺，絕不致有此現象的，所以我就假設這兇手是一個強壯紅臉的人，最後這假設果然也證實無誤。我拍電去克利夫蘭的警署，探問蘭勃的婚姻狀況，那回電很管用。信上說，蘭勃有一個舊時的情敵，名叫傑弗生・霍波，常與他爲難，所以他曾請求警察的保護。又說這傑弗生・霍波這時也正在歐洲。於是前後的線索都已在我掌握之中，最後的步驟就是捕捉那個兇手了。那時我假設，那個陪蘭勃一同進屋子的人就是那個馬車的車夫。因爲街道上另有一種異樣的車輪痕跡，顯示那馬曾自由行動過一陣子，可知停車的時候，車上並沒有車夫看守著，否則，決不會如此。如果眞是這樣，那車夫當時若不是一同進屋，又往那裡去了呢？除此以外，還有一個充分的理由，假使有人計畫要幹這件兇案，勢不想讓第三個人瞧見，做爲舉發他的證人。那麼，假使果眞另有一個車夫在場，那不是和這假設抵觸了嗎？還有一點，假使一個人要在倫敦城中尋找他的仇人，最快的方法就是做車夫。因此種種，就使我得到一個明確的結論，就是若要找尋傑弗生・霍波，儘可往倫敦的各租車所中去尋覓。我又料定他起先既做車夫，犯案之後，勢不會馬上停止，否則，他這種突然改變的舉動，反而更容易引起人家的注意。所以我料他事成以後，必仍繼續他的驅車生活。我又認爲他不會隱姓埋名，因爲在這城市中，既沒有一個人知道他本來的姓名，那麼他何必更改呢？因此，我就把街上的那些流浪兒組織成一個小偵查隊。後來他們怎樣成功，我怎樣利用他們來破案，你都是親眼瞧見的。至於史坦格遜被殺，卻是出乎我意料之外的，但我從史坦格遜一案得到了兩粒藥丸，因此也就明白一切了。現在你看這案子的情節環環相扣，沒有一點遺漏吧！」

我大聲道：「這事眞是奇妙極了。你的功績應當給大眾知道的。你可以把這案子的詳情向大眾宣告。假使你不願意，我可以代勞。」

他答道：「醫生，你喜歡怎樣做，都隨便你。你瞧這節新聞！」說時，他取過一張報紙給我。

那是一張當日的「回聲報」，他指的那一段，就是我們談論的那件案子。

那新聞道：「自從依拿克特・蘭勃和約瑟・史坦格遜兇案中的嫌疑兇手霍波暴斃以後，社會大眾竟都感覺失去了一件驚人有趣的談話話題。案中的詳情，也許從此再也沒有宣露的機會。大家都知道，這案子是多年積怨的復仇案，其中還牽涉到感情和摩門教教義的問題。似乎那兩個被害的人，年輕時都信奉摩門教，就是那暴死的兇手霍波，也是從鹽湖城來的。這案子如果沒有別的重點可記，至少也可以顯露我國警探的才能，同時也可給外國人一種教訓——如果他們要平息他們的爭端，最好就在自己的國家中解決，不要到我們不列顛的土地上來自討苦吃。至於這案子的破獲，完全該歸功於蘇格蘭警場的著名偵探雷斯特拉和葛萊生二人——那是大家都知道的了。據說那個兇手是在歐洛克·福爾摩斯寓裡被捉到的。這個人是一個私家偵探，在偵探術上有幾分才能，他將來如果有機會受這兩個名偵探的指導，在技術上一定可以大有進步。據說警署將頒發褒揚狀，要贈給這兩位偵探，以酬謝他們這一次的辛勞。」

福爾摩斯笑著說道：「我一開始偵查這案子的時候，不是已對你說過了嗎？我們對這一件『血字的研究』的努力，就是使他們這兩位得到了一張褒揚狀！」

我答道：「不要緊的。一切的詳情我已記在日記上，社會大眾遲早會知道的。此刻你既已成功，儘可滿意自樂，就像羅馬的守財奴說的一句話：『不要管人家的笑罵，但圖自己的快樂。』」

附錄一

眞實與虛幻之間——柯南．道爾與福爾摩斯

「倫敦的貝克街上，一個肩掛照相機的遊客在抬頭找尋門牌。商業大厦管理員白拉斯見了便說：『又來了一個。』果然那遊客在門外止步，略一猶豫，然後推門而入，走到擺在大堂的辦公桌前，面帶困惑的神情向白拉斯問路：『我想找二百二十一號B座福爾摩斯的住宅。』

這已是當天的第十二次，白拉斯重複解釋二一九號到二三三號歷來是阿比國民房屋協會的會址，並非福爾摩斯和華生住宅……每星期都有大堆信件寄給二百二十一號B座福爾摩斯收。郵局總是負責地把這些信件交給阿比國民房屋協會，由協會客氣地簡覆：『收信人已遷，現址不詳。』」（註一）

福爾摩斯這個角色誕生至今已有一百一十年。對於全世界無數的福爾摩斯迷來說，他們絲毫不會懷疑他存在的眞實性。自從柯南．道爾一八八七年賦予他生命之後，這個身材瘦削、有著鷹鉤鼻、頭戴獵帽、肩披風衣、口啣煙斗的人就永遠活在人們的心中。

這個角色創造之初，其實並沒受到太多的關注。一八八六年，柯南．道爾完成了《血

字的研究》(A Study in Scarlet)之後，曾寄給「康希爾」雜誌，可是該雜誌並沒有意願刊登。之後，又轉寄了幾家出版社，仍不被採用。最後才由渥德·洛克公司買下，在一八八六年「比頓雜誌耶誕特刊」上發表，並於第二年出版單行本。全世界的福爾摩斯迷大概很難想像，他們心目中的大英雄的問世竟是如此一波三折。

柯南·道爾到底有什麼本事能夠創造出一個這樣活靈活現、家喻戶曉的大偵探呢？要瞭解這一點，必須從他的生長背景講起。

柯南·道爾(Arthur Conan Doyle, 1859~1930)出生於蘇格蘭的愛丁堡。從小就對文學有濃厚的興趣。一八七〇年進入隸屬耶穌會的史東尼赫斯特(Stonyhurst)學院就讀(該校是全英國最著名的耶穌會學校)。一八七六年(十七歲)進入愛丁堡大學醫學院就讀。這些求學的過程，對他日後的創作影響深遠。尤其是醫學院強調歸納分析的方法，以及辨識疾病細微差異的臨床訓練，成就他塑造一個以科學方法辦案的偵探。在這段求學期間，他也遇到了一個對他影響至深的人——約瑟夫·貝爾教授(Dr. Joseph Bell)。這位教授在愛丁堡醫學院相當有名，很受學生的喜愛。他有一種特殊的能力，能立刻對一個素未謀面的病人斷出病症，並說出問診病人的職業、個性、生活習慣，以及曾在那裡服役，隸屬什麼兵團等。柯南·道爾對他這種「神奇」的能力相當著迷。而這位貝爾教授也就成了福爾摩斯的原型。柯南·道爾曾回憶到：

加博里歐(Gaboriau)(註二)的作品在處理情節的轉折處不留痕跡,相當吸引我。愛倫·坡筆下那位能幹的杜賓偵探從小就是我的偶像。但是,我是否可能來點特別的呢?我想到了我的老師貝爾。想到他瘦削如鷹的臉龐,他那奇妙的方法,以及對於事情細節一語道破的驚人能力。如果他是一名偵探,一定能將這個迷人,卻欠缺章法的事業導入精確的科學之路。我想試試看是否能夠達到這種效果。在現實生活中都有可能的事,我爲何不將它帶入小說中呢?(註三)

在《血字的研究》中,貝爾教授的影像清晰地浮現。當福爾摩斯初次見到華生時就說:「我瞧你到過阿富汗。」這點著實讓華生感到驚訝。華生也形容福爾摩斯:「……身高在六呎以上,因爲過分瘦削,顯得頎長無比……他那細長如鷹喙般的鼻子,顯示他機警果斷……。」

一八八一年,柯南·道爾取得了醫師的資格,在一艘貨輪上擔任隨船醫生。次年,開始自己執業。雖然從事醫務工作,但是他仍對文學創作充滿熱情。此時他開始嘗試偵探小說的創作。除了以貝爾爲原型創作出福爾摩斯之外,爲了推動劇情的發展,他也安排了一個福爾摩斯的最佳拍檔——華生醫生。這個角色的塑造具有相當的意義。他不僅發揮了綠葉陪襯紅花的效用,也似乎產生了一些非預期的結果。這位醫生是福爾摩斯的好友,也可以說是他的助手,他與福爾摩斯經歷相同的事情,卻不像福爾摩斯具有敏銳的觀察與推斷能力（甚至有些遲鈍），因此福爾摩斯得以透過與華生的對話，將他的觀察與推理過程告知讀者，然後由華生以第一人稱的方式講述出來（除了「獅鬣」（The Lion's Mane）、「爲祖國」（His Last Bow）……等篇外）。這種第一人稱的敍述方法，讓讀者很容易地就進入了作者所鋪陳出的情境中。此外，華生這個醫生的身份與柯南・道爾具有高度的重疊性，讀者在閱讀的過程中很容易就把華生等同於柯南・道爾。如此一來就增加了故事的可讀性與可信度。因爲在讀者看來，柯南・道爾是在向大家講述一個「他」與「他的朋友」所共同經歷的眞實故事。再加上他們就住在倫敦貝克街二百二十一號B座（眞有此住址），也過著典型的維多利亞女王時代的生活：坐著大家熟悉的兩輪或四輪馬車出沒於倫敦街頭，有一個女房東兼管家婦負責幫他們傳遞來訪者的名片並引見客人，每天都閱讀「每日電訊報」，有時會去劇院欣賞音樂或看賽馬，遇到急事則去電報局發電報……。凡此種種，難怪讀者會這麼相信福爾摩斯與華生是眞有其人，彷彿走在倫敦的街道上，隨時都可能與他們擦身而過。

由於角色塑造的成功，故事情節懸疑緊湊，使得福爾摩斯探案受到了大家的肯定。一八八九年柯南・道爾繼續發表了第二個長篇《四簽名》（The Sign of Four），獲得了熱烈的迴響。不過他的醫生生涯卻不像他的文學生涯一般順利。他在倫敦的眼科診所門可羅雀，許多作品是他在診療室中完成的。這種窘境促使他在一八九一年決定棄醫從文，專心從事文學創作。

貝爾雖是福爾摩斯的原形，但他決非福爾摩斯的全部。因爲柯南・道爾本身的部分特質也融入其中。由於醫學院的訓練，使得他具備敏銳的分析推理能力，因此對於劇情的鋪陳與推理毫無困難。再加上從小母親就教育他要守法，尊重正義，培養他具備騎士的精神，所以他自然也會把這些精神注入他所創作的角色當中，福爾摩斯和華生都分享了這些特質。他們兩人在劇中協助警方打擊不法，幫助弱小與婦女，或者基於榮譽感與愛國心爲政府效命（例如在「爲祖國」一劇中幫助英國政府破獲德國間諜一案）等，這些正是騎士精神（或者可說是英國紳士精神）的具體展現。

福爾摩斯探案的成功，使得柯南・道爾名利雙收，約稿源源不斷。然而他開始厭倦不停地寫福爾摩斯，他抱怨福爾摩斯佔據他太多的時間，甚至把他的心靈從美好的事物中攫走。因爲柯南・道爾其實更喜歡寫歷史小說（註四）。一八九三年，他寫了「最後問題」（The Final Problem），讓福爾摩斯與他的死對頭莫理亞提教授（Professor Moriarty）雙雙墜落瑞士的萊亨巴哈瀑布（Reichenbach Falls）中。柯南・道爾覺得鬆了一口氣，終於可以擺脱這個麻煩的公衆英雄，全心投入自己更喜歡的文學創作。不過福爾摩斯的死訊一宣布之後卻引發了讀者的錯愕與抗議（就連作者的母親也提出了抗議）。超過兩萬人取消訂閱連載福爾摩斯的「河濱」雜誌（Strand），許多人傷心地爲福爾摩斯服喪以示哀悼，甚至有位女士還非常沒禮貌地寫信去指責他，劈頭就罵：「你這個殘忍的畜生！」這種種激烈的反應恐怕連作者都始料未及。儘管如此，柯南·道爾仍不爲所動。直到一九〇三年柯南·道爾才又讓他在「空屋」(The Empty House) 一案中戲劇性地復活，重新展開他驚險、刺激的偵探生涯。

柯南·道爾傾畢生之力創作福爾摩斯的系列故事，總共寫了四個長篇，五十六個短篇。在故事的終了，他並沒有明確地交待福爾摩斯的最後去處，只是從故事中我們可以知道，福爾摩斯後來歸隱蘇薩克斯做「養蜂學」的研究。這樣的安排，對於廣大的福爾摩斯迷來說當然是很難接受的。許多人自圓其說地認爲，福爾摩斯明的是去做研究，暗地裡則是轉而爲英國情報局效命了。所以在「爲祖國」一案中可以發現福爾摩斯又重現江湖了！這種說法究竟是讀者一廂情願的解釋，或者果眞如此，其實已沒有深究的必要了。因爲誰會願意殘忍地去戳破心目中的夢想呢？不論如何，可以肯定的是，自從「空屋」一案奇蹟似地復活之後，福爾摩斯與華生就永遠地生活在濃霧彌漫的倫敦城中了。因爲就如一位研究福爾摩斯的學者史塔列特所言：「在烏有之鄉，在幻想的心裡，福爾摩斯和華生兩人，爲了愛他們的人永生不死。」

註釋

一　摘錄自一九七三年四月號的《讀者文摘》，頁一〇三—一〇四。

二　加博里歐(Gaboriau, Emile, 1823?～1873)，法國的小說家，有法國的愛倫・坡之稱。

三　本段文字摘譯自 Hodgson, John A., (eds.) *Sherlock Holmes: The Major Stories with Contemporary Critical Essays.* Boston: Bedford Books, 1994 (p.4)

四　柯南・道爾的一部歷史小說《白衣團》(The White Company)，曾有人讚美它是自《艾凡侯》(亦有譯爲《薩克遜英雄傳》)(Ivanhoe)以來最好的歷史小說。

附錄二

柯南·道爾(Arthur Conan Doyle)年譜

一八五九年　五月二十二日生於蘇格蘭的愛丁堡。

一八七〇年　進入隸屬於耶穌會的史東尼赫斯特(Stonyhurst)學院就讀。該校是全英國最著名的耶穌會學校。

一八七五年　完成史東尼赫斯特學院的學業，至奧地利的耶穌會學校留學一年。

一八七六年　進入愛丁堡大學的醫學院就讀，在那裡他遇到了對他影響深遠的約瑟夫·貝爾(Dr. Joseph Bell)老師——他就是福爾摩斯的原型。

一八八一年　大學畢業後，在一艘非洲西岸航線的客貨輪上擔任隨船醫生。

一八八二年　開始執業。

一八八五年　與露薏絲·霍金斯(Louise Hawkins)小姐結婚。

一八八六年　完成福爾摩斯探案的第一個長篇《血字的研究》。寄給「康希爾」雜誌，可是該雜誌沒有意願刊登。最後由渥德·洛克公司買下，在「比頓雜誌耶誕特刊」上發表。

一八八七年　《血字的研究》單行本發行。
一八八九年　發表福爾摩斯探案的第二個長篇《四簽名》。
一八九〇年　發表歷史小說《白衣團》(The White Company)。曾有人讚美這部作品是自《艾凡侯》(Ivanhoe)以來最好的歷史小說。
一八九一年　去維也納研讀眼科學。隨後在倫敦開設眼科診所，但生意清淡。決定棄醫從文，專心從事文學創作。
一八九二年　將發表的十二個福爾摩斯探案短篇故事，集結成第一個短篇《冒險史》。
一八九三年　妻子露薏絲罹患肺結核。
在「最後問題」一篇中宣布了福爾摩斯的死訊。暫時結束有關福爾摩斯的創作。
一八九四年　將之前陸續發表的十一個短篇故事，集結成第二個短篇《回憶錄》。
一八九七年　認識琴·賴基(Jean Leckie)小姐，並墜入情網。
一九〇〇年　赴南非，以軍醫的身分參加布爾戰爭(Boer War)。並發表作品《大布爾戰爭》。
一九〇二年　受封騎士爵位。
發表福爾摩斯探案的第三個長篇故事《古邸之怪》。

一九〇三年　由於廣大讀者的要求，福爾摩斯在「空屋」一案中復活了！
一九〇五年　出版福爾摩斯探案的第三個短篇故事集《歸來記》。
一九〇六年　妻子露薏絲去世。
一九〇七年　與琴·賴基小姐結婚。
一九一五年　出版福爾摩斯探案的最後一個長篇《恐怖谷》。
一九一六年　宣布轉向性靈學的研究。
一九一七年　出版福爾摩斯探案的另一個短篇故事集《爲祖國》。
一九一八年　出版《新啓示錄》（The New Revelation）一書。此書是柯南·道爾轉向研究形而上學之後，有關這方面的第一本著作。
一九二七年　出版福爾摩斯探案的最後一個短篇故事集《福爾摩斯個案紀錄》。（編者案：本局將最後的兩個短篇故事集合併成本系列故事的最後一個短篇《新探案》。）
一九三〇年　七月七日與世長辭。

參考書目

中文部分

呂美玉　〈永生不死的福爾摩斯〉，中國時報四十三版，一九九七年二月十六日。

黃永林　《中西通俗小說比較研究》，臺北：文津，一九九五年。

彼德・布朗恩(Peter Browne)　〈福爾摩斯永在人間〉，《讀者文摘》四月號，一九七三年。

林　瀅　〈「偵探小說迷」倫敦朝聖（上）〉，《推理雜誌》一五一期，一九九七年。

范伯群　《偵探泰斗——程小青》，臺北：業強，一九九三年。

　　　　《民國通俗小說鴛鴦蝴蝶派》，臺北：國文天地，一九八九年。

徐淑卿　〈推理小說重現江湖〉，中國時報四一版，一九九七年九月十八日。

程盤銘　〈福爾摩斯是如何創造出來的？〉，《推理雜誌》一四六期，一九九六年。

　　　　〈福爾摩斯探案中的社會背景〉，《推理雜誌》一四七期，一九九七年。

　　　　〈福爾摩斯之前應用推理法的前輩們〉，《推理雜誌》一四八期，一九九七年。

　　　　〈福爾摩斯探案與偵探小說的定型〉，《推理雜誌》一四九期，一九九七年。

〈福爾摩斯的行業：私家偵探〉，《推理雜誌》一五〇期，一九九七年。
〈福爾摩斯探案在偵探小説中的地位〉，《推理雜誌》一五一期，一九九七年。
〈福爾摩斯年譜〉，《推理雜誌》一五二期，一九九七年。
〈福爾摩斯偵探術〉，《推理雜誌》一五三期，一九九七年。
〈福爾摩斯的俠義精神和越權行爲〉，《推理雜誌》一五四期，一九九七年。
〈福爾摩斯與公家警察〉，《推理雜誌》一五五期，一九九七年。
〈抬舉福爾摩斯成名的選手們〉，《推理雜誌》一五六期，一九九七年。
〈福爾摩斯探案的「眞經」與「僞經」〉，《推理雜誌》一五七期，一九九七年。
〈福爾摩斯探案中的「中國」〉，《推理雜誌》一五八期，一九九七年。
新潮推理編輯室　〈偵探小説的開拓者……柯南．道爾〉，臺北：志文，一九九五年。
〈柯南．道爾的生平與其作品〉，臺北：志文，一九九五年。
〈家喻户曉的福爾摩斯〉，臺北：志文，一九九五年。
〈柯南．道爾年譜〉，臺北：志文，一九九五年。
鄭麗園　〈貝克街二二一號〉，《英國女王有請！》，臺北：聯經，一九九六年。
盧郁佳　〈百分百死亡遊戲〉，聯合報四五版，一九九七年十月二十七日。
魏紹昌　《我看鴛鴦蝴蝶派》，臺北：商務，一九九五年。

英文部分

Doyle, Arthur Conan Great Works of Sir Arthur Conan Doyle. New York: Chatham River Press, 1984.

Hodgson, John A., Editor Sherlock Holmes: The Major Stories with Contemporary Critical Essays. Boston: Bedford Books of St. Martin's Press, 1994.

國家圖書館出版品預行編目資料

血字的研究 / 柯南・道爾原著 ; 程小青等譯.
-- 修訂一版 . -- 臺北市 : 世界 , 1997〔民 86〕
面 ; 公分 -- (福爾摩斯探案全集)
譯自 ：A study in scarlet
ISBN 957-06-0168-X (平裝)

873.57　　　　86015769

福爾摩斯探案全集

血字的研究

722-2927

作　　者／柯南・道爾
譯　　者／程小青等
修訂整理／世界書局編輯部
發 行 人／閻　初
發 行 者／世界書局
登 記 證／行政院新聞局局版臺業字第〇九三一號
地　　址／台北市重慶南路一段九十九號
電　　話／(〇二)二三一一〇一八三
傳　　真／(〇二)二三三一七九六三
郵撥帳號／〇〇〇五八四三—七　世界書局
印 刷 者／世界書局
出版日期／一九二七年初版一刷
一九九七年十二月修訂一版一刷
一九九八年二月修訂一版三刷
定　　價／一三〇元

世界書局股份有限公司 §讀者意見卡§

為瞭解讀者對本公司出版品的意見，以提供更好的閱讀品質與讀者服務，請您詳填本卡，寄回世界書局(免貼郵票)，我們將不定期提供最新出版訊息及各項優惠。

姓名：________ 性別：______ 出生日期：___年 ___月 ___日

電話：(H) ________ (O) ________ 傳真：________

聯絡地址：________________

永久地址：________________

教育程度：□國中以下 □高中職 □專科 □大學 □研究所以上

職業：□學生 □教師 □公務員 □軍警 □製造業 □金融業 □銷售業
□資訊業 □大眾傳播 □自由業 □服務業 □其他______

閱讀偏好：□文學類 □史學類 □哲學類 □科學類 □藝術類 □傳記類
□語文類 □財經類 □政治類 □休閒類 □其他______

您較常閱讀的報紙：1.______ 2.______ 3.______

您較常收聽的電台：1.______ 2.______ 3.______

您對本公司的建議、期望……

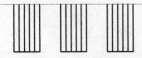

謝謝您購買本書！您對本書的寶貴意見將是我們未來出版的最佳參考！

購買書名：＿＿＿＿＿＿＿＿＿＿　購買日期：＿＿＿＿＿＿＿＿

購買動機：□封面設計　□內容題材　□作者知名度　□書名　□促銷廣告

□媒體介紹　□其他

如何得知本書：□逛書店　□報紙廣告　□廣告信函　□廣播節目　□電視節目

□報章雜誌介紹　□親友介紹　□其他

您對本書的意見：

1.內容題材　□滿意　□尚可　□需改進

2.封面設計　□滿意　□尚可　□需改進

3.編排設計　□滿意　□尚可　□需改進

4.裝訂印刷　□滿意　□尚可　□需改進

5.文字校對　□滿意　□尚可　□需改進

6.其他意見　＿＿＿＿＿＿＿＿＿＿＿＿＿＿＿＿